Barb

Nie wieder

Dieser Band ist auf 100 % Recyclingpapier gedruckt. Bei der Herstellung des Papiers wird keine Chlorbleiche verwendet.

Die Autorin:

Barbara Gehrts wuchs in Berlin auf. Ihr Vater wurde 1943 als Widerstandskämpfer in Plötzensee hingerichtet.
Nach dem Krieg studierte sie Germanistik, Kunstgeschichte, Philosophie und Englisch.
Freiberuflich schrieb Barbara Gehrts Buchbesprechungen, Features und Schulfunksendungen für Presse und Rundfunk. Sie gab mehrere Anthologien in Kinder- und Jugendbuchverlagen heraus und bearbeitete viele Stoffe aus der Weltliteratur. Sie lebt in der Nähe von Freiburg.

Barbara Gehrts

Nie wieder ein Wort davon?

Deutscher Taschenbuch Verlag

Lizenzausgaben dieses Bandes sind auch in Frankreich, den Niederlanden, Spanien, den USA und Japan erschienen.

Ungekürzte Ausgabe
17. Auflage Februar 1998
1978 Deutscher Taschenbuch Verlag GmbH & Co. KG, München

Umschlaggestaltung: Jorge Schmidt und Tabea Dietrich
Umschlagbild: Bernhard Förth
Gesetzt aus der Aldus 10/11·
Gesamtherstellung: Ebner Ulm
Printed in Germany · ISBN 3-423-07813-8

»Autsch – verdammt!«

»Psst!«

»Was heißt hier ›psst‹, wenn du mir in den Bauch trittst.«

»Entschuldige, hab's nicht mit Absicht getan.«

»Kann jeder sagen.«

»Haltet die Klappe – sonst schmeißen sie uns raus!« zischte Erik und preßte seinem Bruder die Hand auf den Mund.

Sie – das waren unsere Väter. Erik, Wolfgang, Ursula und Lisabeth gehörten zu Rolands. Hannes und ich zu Singelmanns. Zu fünft lagen wir gerade auf dem Boden hinter der Schiebetür, die bei Rolands das Herrenzimmer vom Eßzimmer mit dem Wintergarten trennte. Lisabeth war nicht dabei, sie spielte irgendwo mit ihren Puppen. Eigentlich hätten wir oben in den Kinderzimmern sein sollen oder im Garten oder im Wald oder sonstwo – nur nicht hier hinter der Schiebetür. Denn was da drüben im Wintergarten geredet wurde, war nicht für unsere Ohren bestimmt. Darum hatten sie uns nach dem Mittagessen auch gleich weggeschickt. Sie schickten uns immer weg, wenn's interessant wurde. Und dabei waren wir doch keine kleinen Kinder mehr, wirklich nicht. Erik war sogar schon erwachsen. Er hatte Abitur gemacht und bereits den Arbeitsdienst hinter sich und wartete nun auf eine Einberufung zur Marine.

Drüben im Wintergarten wurde es laut. Durch den Spalt in der Tür konnte ich Vater sehen. Er saß in dem dicken Ohrenbackensessel und sah aus wie ein Zwerg. Dabei war er gar kein Zwerg. Aber in dem Sessel saß sonst immer Onkel Oskar, und der war ein Riese. Neben ihm war Vater tatsächlich ein Zwerg. Und darum sah er in Onkel Oskars Sessel natürlich auch aus wie ein Zwerg. Er rauchte Zigarre. Eine mit Bauchbinde. Das Kistchen stand auf dem Tisch. Es waren sehr gute Zigarren. »Friedensware«, hatte Onkel Oskar gesagt. Die Friedensware stammte aus Holland. Der letzte Kurier hatte sie mitgebracht, der, der so spät nachts gekommen war mit zwei Rädern Käse, zehn Pfund Butter und fünfzehn Dosen gezuckerter Milch.

Eigentlich rauchte Vater nicht. Nur wenn er sich geärgert hatte, rauchte er, und wenn er politisierte. Und bei Rolands wurde immer politisiert. Die dachten genauso wie Vater und hielten dicht. Da konnte er sich auskübeln. Und das mußte er hin und wieder, sonst platzte er. Jetzt hatten sie's grad von Zement, den Onkel Oskar beschaffen wollte. Onkel Oskar hatte irgendwie mit Zement zu tun und konnte tatsächlich noch welchen organisieren, schwarz natürlich und für sehr viel Geld. Gefährlich war es obendrein, denn es gab schon lange keinen mehr für Privatleute. Nur für kriegswichtige Zwecke. Für den Westwall oder Atlantikwall oder was weiß ich.

Vater sagte: »Je schneller du den Bunker baust, um so besser.«

»Du meinst also wirklich, es wäre ratsam?« fragte Onkel Oskar.

»Ratsam . . . ratsam? Dringend notwendig! Auch wenn's heute noch nicht so aussieht.«

»Aber die paar Tommys neulich . . .«

»Gut. Im Augenblick sind es noch wenige. Aber es müßte doch jedem zu denken geben, daß sie schon mehrmals bis Berlin durchgekommen sind . . .«

». . . und kaum Schaden angerichtet haben«, fiel ihm Onkel Oskar ins Wort.

»Am Görlitzer Bahnhof gab es Tote und Verletzte. Und sie werden wiederkommen. Immer öfter, immer mehr. Und sie werden Bomben haben, über deren Wirkung wir uns heute noch keine Vorstellung machen können.«

»Franz, siehst du nicht wieder mal zu schwarz?«

»Wollte Gott, ich sähe zu schwarz.«

»Aber du sagst doch selbst, wir hätten die Luftüberlegenheit.«

»Haben wir auch – im Augenblick noch. Aber unsere Einsätze kosten Verluste, und zwar erhebliche. Was meinst du, was wir seit dem verschärften Luftkrieg gegen England schon eingebüßt haben.«

»Der Wehrmachtsbericht ...«

»Ach, der Wehrmachtsbericht! Der lügt – schon heute. Im Wehrmachtsbericht werden wir auch noch siegen, wenn die Franzosen vor Stuttgart und die Tommys in Schleswig-Holstein stehen.«

»Na, na, na.«

Vater darauf: »Der Krieg war verloren, noch ehe wir ihn angefangen haben.«

»Aber Polen und Frankreich ...«, warf Onkel Oskar ein.

»... liegen zerschmettert am Boden, wie es so schön heißt«, ergänzte mein Vater. »Das wolltest du doch sagen, nicht wahr? Aber was sind Polen und Frankreich! Nichts, gar nichts! England – das ist ein anderer Brokken. Weißt du, wieviel Maschinen uns die Luftschlacht um England schon gekostet hat? Noch ehe es überhaupt richtig losgegangen ist? Über 250 Jäger und mehr als 200 Bomber. Aber England – das ist im Augenblick gar nicht das Problem. Der plant längst ganz anderes ...«

»Der« – das war Hitler. Und wenn Vater von ihm sprach, konnte er sich meistens nicht beherrschen. Auch jetzt sprang er auf, lief hin und her, blieb stehen. Er scharrte mit den Fußspitzen wie immer, wenn er erregt war. Wie ein Pferd. Er hatte kleine Füße, sehr kleine Füße. Schuhgröße 39. Hannes konnte seine Schuhe tragen, schon jetzt.

»Rußland – Amerika – das ist das Problem. Noch scheut er den Krieg gegen Rußland. Im Augenblick noch. Aber er weiß: England setzt seine Hoffnung auf Rußland. Ist Rußland zerschlagen, sind wir die Herren Europas und des Balkans. Also muß Rußland vernichtet werden. Dann ist die Landung in England ein Kinderspiel.«

»Kalkuliert er wirklich so? Und der Nichtangriffspakt?«

»Hat er schon ein einziges Mal Verträge gehalten, wenn es ihm nicht mehr ins Konzept paßte? Bis Ende September werden dreißig Divisionen im Osten stehen. An der deutsch-russischen Grenze und in Ostpreußen.«

Vater fuhr mit der Rechten durch die Luft, als wollte er irgend etwas verscheuchen. Ließ sich wieder in den Sessel fallen, griff nach der Zigarre im Aschbecher, aber die war aus. Er steckte sie wieder an, sog heftig daran, paffte blaue Wölkchen in die Luft und schwieg. Auch Onkel Oskar schwieg.

»Los, abhaun!« raunte Erik. Auf Zehenspitzen schlichen wir davon, durch die Küche in den Garten und zur Tannenhöhle hinter den Himbeeren. Eigentlich durften wir Mädchen nicht in die Höhle. Wolfgang hatte ein Schild am Eingang aufgestellt: »Eintritt für Mieken verboten!« Aber diesmal liefen wir einfach hinterher, und keiner sagte was. Da saßen wir nun auf den beiden niedrigen Bänkchen. Auf der einen Seite Erik, Wolfgang und Hannes, auf der anderen Ursula und ich. Ich hatte mich gegenüber von Erik hingesetzt. Der sah blaß aus. Oder lag das nur an dem grünen Dämmerlicht?

»Schöne Schweinerei das . . .«, murmelte er.

»Was?« fragte Wolfgang.

»Na, das mit Rußland. Wenn Onkel Franz recht behält . . .«

»Bisher hat mein Vater leider immer recht behalten«, sagte Hannes.

»Nein, einmal nicht«, widersprach Erik. »Ich weiß noch genau, das war vor zwei Jahren. Da kam er spät abends wahnsinnig aufgeregt angeradelt. Ich war noch auf. ›Jetzt geht's los – morgen, übermorgen. Der gibt keine Ruhe, bis die ganze Welt brennt.‹ Ich hab's genau behalten: ›bis die ganze Welt brennt.‹« Erik brach ab.

Hannes aber warf den Kopf zurück und streckte die Brust raus wie immer, wenn er Hitler oder irgendeinen Bonzen verhohnepipeln wollte. Und mit schnarrender Stimme leierte er los: »Die friedliche Lösung der sudetendeutschen Frage fand überall freudigen Widerhall. Begeisterung und Jubel in der Bevölkerung kannten keine Grenzen. Dieser neue, unblutige Sieg des Führers hat das Vertrauen des Volkes zur Staatsführung und den Glauben an den Führer aufs neue befestigt. Das ganze deutsche Volk steht geschlossen . . .«

»Hör auf! Hör auf mit dem Quark!« schrie Erik plötzlich los, »aufhören sollst du! Ich kann's nicht mehr hören! Ein halbes Jahr haben sie uns damit beseiert. Mir hängt's sonstwo raus.«

»Denkst du, mir vielleicht nicht?« meinte Hannes.

»Ach – die Penne und das bißchen HJ-Dienst! Das zählt ja gar nicht. Du wirst dich wundern, wie's im Arbeitsdienst zugeht!«

»Psst! Schreit doch nicht so!« sagte Wolfgang und blickte sich um. Als wenn uns jemand hätte hören können hier hinten im Garten!

»Wenn es Krieg mit Rußland gibt«, fing Erik wieder an, und nun flüsterte er, und wir steckten die Köpfe zusammen, »dann hört der Schlamassel noch lange nicht auf. Dann werdet ihr auch noch einberufen, und mit dem Studium ist's Essig.«

»Ist schon mal einer nach Rußland gezogen«, raunte Hannes, »und vor Moskau mußte er umkehren. Und dann sind sie im Schnee steckengeblieben und erfroren. Hunderte, Tausende . . .«

Ursula sagte nachdenklich: »Napoleon.«

»Wußte gar nicht, daß du so gescheit bist«, bemerkte Wolfgang ironisch.

»Laß sie in Ruhe!« fuhr Erik ihn an. »Das verdient sie nicht. Als du so alt warst, heulten nachts nicht die Sirenen. Du konntest pennen und brauchtest keine Angst vor Bomben zu haben. Und Butter konntest du fingerdick aufs Brot kleben.«

»Kanonen statt Butter«, fiel ich ihm ins Wort, »ist doch ein guter Tausch. Was willst du denn.« Ich sagte das, ohne etwas zu denken. Erst ein Blick von Hannes belehrte mich, daß ich etwas Blödes gesagt hatte. Und gemein war es obendrein. Wir hatten damals nämlich noch genug Butter. Das Pfund kostete gerade 22,– Reichsmark. Mit 10,– Reichsmark hatte es angefangen, als die ersten Kuriere aus Holland sie ins Haus brachten. Das hatte Vater noch von seinem monatlichen Einkommen zahlen können. Aber als dann alles immer teurer wurde, das Öl, der Käse und die Butter, mußte er dazuverdienen. Mutter war ziemlich unglücklich darüber: »Wo du sowieso schon so nervös bist bei dem anstrengenden Dienst! Wie oft kommst du jetzt spät nach Hause. Und dann diese zusätzliche Schreibtischhockerei in die Nacht hinein . . .«

Ja, seit Kriegsausbruch kam Vater oft sehr spät heim. »Wichtige Besprechung bei Klappler«, sagte er dann wohl. Generalmajor Klappler war sein Vorgesetzter im RLM. Vater war damals erst Oberstleutnant. Aber sicher würde er bald Oberst. Er wurde sehr rasch befördert. Hatte er gute Laune, sagte er: »Wartet nur, ich habe auch bald weiße Streifen auf der Hose.« Weiße Streifen hatten die Generäle bei der Luftwaffe. Ich war mächtig stolz. Hatte Vater aber seine allerbeste Laune, dann rief er lachend: »Wartet nur, ich werde noch roter Reitergeneral!«

»Pscht!« erwiderte Mutter und streckte abwehrend die Hände vor.

Ich aber fiel ihm um den Hals: »Hast du dann ein Pferd, Vater?«

»Natürlich habe ich dann ein Pferd. Einen feurigen

Hengst. Möchtest du einen Schimmel oder einen Rappen?«

»Einen Rappen!«

In meiner Begeisterung fiel es mir gar nicht besonders auf, daß Mutter mal wieder »pscht!« gesagt hatte. Das sagte sie ohnehin so oft.

Doch einmal an einem Sonntag beim Mittagessen wurde im Radio wieder der Reitermarsch gespielt, bei dem Vater sich immer auf seinem Stuhl bewegte, als säße er auf einem trabenden Pferd. Seine Augen blitzten, als er sagte: »Ich werde doch noch mal roter Reitergeneral.« Mutter war gerade in der Küche. Ich lachte und dachte an den Rappen. Aber Hannes – der bekam plötzlich riesige schwarze Augen, so groß wurden seine Pupillen. Das Blau von der Iris war fast weg. Er starrte Vater an. Dann wurde er blaß. Gottlob kam Mutter in diesem Augenblick mit den Kartoffeln aus der Küche zurück, und Vater merkte nicht, wie Hannes ihn anstarrte.

Seit damals sah Hannes meinen Vater oft so an. Immer, wenn er meinte, niemand sähe es. Ich beobachtete es öfter, doch traute ich mich nicht zu fragen. Hannes konnte so abweisend sein, wenn es um Vater ging.

Aber heute in der Tannenhöhle bei den Rolands war er nicht abweisend. Erik war ja auch sein bester Freund. Wolfgang war auch sein Freund. Aber Wolfgang war erst vierzehn, und Hannes konnte sich mit ihm nicht so gut unterhalten wie mit Erik. Doch zuverlässig waren sie alle beide. Und verschwiegen. Die würden sich eher einsperren lassen als ein Wort von dem zu verraten, was mein Vater bei ihrem Vater rausließ. Natürlich hätte Vater eigentlich mit niemandem so reden dürfen, und er tat es sonst auch nicht. Nur bei uns zu Hause und bei Rolands machte er sich Luft. Und darum wußten wir viel mehr als die Leute, die nur den Wehrmachtsbericht hörten und was das Propagandaministerium so abließ.

»Aber wenn wir wirklich mit Rußland anfangen«,

sagte Erik gerade, »dann ist ja das Gequatsche von der Landung in England mal wieder 'ne dicke Lüge.«

»Nein, keine Lüge«, erwiderte Hannes, »diesmal nicht. Er hat's wirklich vorgehabt. Und man sagt, er hätt's auch jetzt noch vor.«

»Und warum geht er nicht endlich rüber?« fragte Wolfgang.

»Mein Vater sagt, wir müssen erst die Luftherrschaft über England haben, um landen zu können. Und die haben wir eben noch nicht.«

»Ob wir die überhaupt je kriegen? Wo die jetzt schon dauernd zu uns kommen und ihre Eier legen?« sagte Erik.

Damals sprachen wir noch von »Eierlegen«, wenn die Tommys ihre Bomben über Berlin abschmissen. September 1940 schmissen sie noch nicht viele ab. Und dann auch immer nur in der Stadt drinnen. Wir aber wohnten weit draußen im Süden Berlins, in Lichtenrade. Da würden sicher nie welche fallen.

»Die legen hier bei uns wohl überhaupt nur welche, um zu zeigen, daß sie es uns genauso machen können wie wir ihnen in London«, meinte Hannes. »Da hat's schon einige Tausend Tote und Verletzte gegeben. Aber mein Vater sagt, für die Tommys ist's jetzt viel wichtiger, unsere Transportflotte kaputtzumachen. Und das tun sie wohl auch ganz schön gründlich.«

»Dann werden unsere Truppen wohl schließlich über den Kanal schwimmen müssen?« entgegnete Wolfgang und fügte lachend hinzu: »Was meint ihr, wie erfrischt die drüben ankommen.« – »Und dann erst die Panzer und die Kanonen . . .«, fiel Ursula ein und lachte auch.

Erik darauf: »Wenn ihr blöde Witze machen wollt, dann haut lieber ab. Ich finde das gar nicht zum Lachen. Jetzt haben wir schon ein ganzes Jahr Krieg, und ein Ende ist überhaupt nicht abzusehen. Wenn er noch mit Rußland anfängt, dann werden wir auch im nächsten Jahr um diese Zeit nicht viel weiter sein.«

»Nur zigtausend Gefallene mehr werden wir haben für Großdeutschland«, ergänzte Hannes.

Ich mußte plötzlich denken: Und wenn es Erik erwischt und Hannes? Tränen schossen mir in die Augen.

»Was guckste denn so?« fragte Erik, beugte sich vor und griff nach meiner Hand. »Du hast ja eiskalte Hände. Ist dir schlecht?«

»Nein – nicht schlecht«, stammelte ich. »Aber ...«, und ich brach ab.

»Was – aber?« fragte Erik.

»Aber wenn's euch nun erwischt?«

»So'n Quatsch! Jetzt aber Schluß!« rief Hannes wütend und sprang auf. »Sitzen wir hier in der Höhle und statt uns zu freuen, daß wir noch alle beisammen sind, blasen wir Trübsal.« Er legte seinen Arm um meine Schulter. »Komm, Hannalein! Was meinst du zu ein paar Gravensteinern?« Und er schob mich vor sich her aus der Höhle.

Rolands hatten einen riesigen Obstgarten. Wir durften so viel essen, wie wir wollten. Jetzt waren gerade die ersten Frühäpfel reif, Gravensteiner, meine Lieblingssorte. Erik und Hannes kletterten in den Baum. Natürlich hätten sie die Äpfel auch mit dem Pflücker runterholen können, aber ein Junge, der Äpfel mit dem Pflücker bricht statt in den Baum zu klettern, ist kein Junge. Von der großen Astgabel aus konnten sie in die Krone langen. Dort waren die Äpfel schon ganz gelb mit rotgestreiften Backen. Erik, der ein Stück größer war als Hannes, holte schließlich sogar den alleroberstén und warf ihn mir zu. Ich fing ihn auf und sah dabei in sein lachendes Gesicht hoch oben im Baum. Er sah aus wie ein Schuljunge. Über seinem Lachen vergaß ich den Krieg mit Rußland, die Landung in England und die ersten Bomben in Berlin.

Bei Ortlers gab's frisches Pferdefleisch. Ich mußte mal wieder anstehn. Pferdefleisch gab es ohne Marken.

»Hanna, sei so lieb und geh du diesmal«, hatte Mutter gesagt, »ich muß den Saft noch heute in Flaschen füllen, sonst gärt er.«

Maulend war ich losgezogen. Eigentlich hatte ich Mathematik machen wollen. Nein – eigentlich hatte ich erst noch zu Mittag schlafen wollen. In der Nacht war's mal wieder nicht viel mit Schlafen gewesen. Schon um elf hatte es Alarm gegeben. Wir waren zwar nicht aufgestanden, aber richtig schlafen konnte man natürlich nicht bis zur Entwarnung. Und dann morgens um acht Schule, sechs Stunden. Und mit dem frühen Ins-Bett-Gehen heute abend wurde es auch nichts, denn es war Mittwoch und mittwochs hatten wir immer Heimabend.

Ich machte mir nichts aus dem BDM-Dienst, genauso wenig wie Hannes aus der HJ. Aber Vater legte größten Wert darauf. Es hatte sogar schon ein paarmal Krach gegeben. »Ich verlange, daß ihr regelmäßig mitmacht«, sagte er dann, »und nicht nur widerwillig, daß man es euch schon aus zehn Meter Entfernung ansieht.«

»Dieser potenzierte Stumpfsinn«, pflegte Hannes früher zu sagen. Später war er in die Flieger-HJ eingetreten, weil er nicht HJ-Führer werden wollte. »Bloß das nicht. Da lerne ich lieber fliegen und geh nach dem Abi zur Luftwaffe.« Er hatte inzwischen seinen A- und B-Schein im Segelfliegen gemacht. Irgendwann sollte er wieder zu einem Ausbildungslehrgang für den C-Schein. Ich beneidete ihn darum, weil er die lästige Pflicht mit einem bißchen Vergnügen verbinden konnte.

Die Schlange vor dem Laden war ziemlich lang. Ich sah sofort: das dauert mindestens eineinhalb bis zwei Stunden. Am liebsten wäre ich gleich wieder nach Hause gegangen. Aber ich mußte an Vater denken. Abend für Abend saß er am Schreibtisch und schrieb seine Aufsätze und Rundfunkvorträge. Über die deutsche Luftwaffe, über die Kriegslage usw. usw. Neuerdings hatte er auch noch Sprechunterricht, um die Vorträge selbst lesen zu können. Das brachte dann noch ein bißchen mehr. »Die Butter kostet jetzt 28 Mark«, hatte er vor ein paar Tagen gesagt, »wenn das so weitergeht . . .« Jedesmal, wenn die Fettrationen auf den Lebensmittelkarten gekürzt wurden, schnellte der Butterpreis hoch. Und trotzdem waren wir froh, daß wir überhaupt noch welche extra bekamen. Normalverbraucher erhielten inzwischen statt 175,6 Gramm wöchentlich nur noch 137,5 Gramm Butter und Butterschmalz. Dafür war die Margarinezuteilung um genau 35 Gramm pro Woche erhöht worden. Es gab jetzt ganze 81,9 Gramm wöchentlich, genau abgewogen bei Försters oder im Milchladen, kein Zehntelgramm mehr. Wie die Leute mit dem bißchen Fett auskamen, war rätselhaft. Gottlob funktionierten die Holland-Kuriere. Aber Vater mußte ganz schön extra arbeiten, um genug heranzuschaffen. Und da hätte ich nicht nach Pferdefleisch anstehen sollen?

Wie immer hatte ich ein Buch dabei und ein Klappstühlchen. Viele Frauen brachten Klappstühlchen mit. Man konnte doch nicht stundenlang auf der Stelle stehn. Etwa alle zehn Minuten wurde die Ladentür aufgeschlossen, ein Schub Frauen heraus – und dafür der nächste hineingelassen. Und wir rutschten auf unseren Stühlchen ein bißchen näher an die ersehnte Tür heran. War man erst mal drin, bekam man bestimmt auch noch etwas.

Ich kam nicht zum Lesen. Sie redeten zu viel. Es ging um die Kinderlandverschickung aus bombengefährdeten Großstädten. Kinder zwischen sechs und vierzehn Jahren wurden evakuiert.

»Würden Sie denn Ihren Sechsjährigen so weit weggeben und zu ganz fremden Leuten?« fragte eine junge Frau, die ich nicht kannte.

»Bei mir war auch eine von der NSV und hat lange geredet. Und was ist, wenn ich meine beiden weggebe? Dann schickt man mich über kurz oder lang in die Fabrik.«

»Meine Schwester in Hamburg hat drei Kinder zwischen sechs und zwölf. Die sind jetzt alle in Bayreuth.«

»Vierzigtausend Hamburger Kinder sollen dort sein.«

»Und det nennt man freiwillije Evakuierung? Kann mir keener erzählen. Die rechnen wohl damit, det det Janze noch Monate dauert, wat?«

Das war Frau Schumacher. Die sagte immer so laut, was sie dachte. Am liebsten hätte ich »pscht!« gesagt, denn zwei Reihen vor ihr stand diese dürre Ziege aus der Raabestraße, diese NS-Frauenschaftsleiterin, die ihren Arm immer so zackig hochriß, wenn sie »Heil Hitler!« sagte. Die kannte überhaupt keinen anderen Gruß mehr. Nun drehte sie sich um und sagte: »Sie sollten dankbar sein, daß der Führer sich um Ihre Kinder sorgt.«

»Det tut er doch nur im eignen Interesse.«

»Was soll denn das heißen?« Das klang verdammt scharf. Hoffentlich verbrannte sich Frau Schumacher nicht den Mund. Sollte ich sie am Ärmel zupfen?

»Det soll heißen, det er um die Soldaten von morjen besorgt is. Wenn die ihm heut schon totjebombt wer'n, dann isset aus mit det Janze – einfach aus.«

Eisiges Schweigen ringsum. Man hätte eine Stecknadel fallen hören können. Alle schienen auf irgend etwas zu warten. Und gerade in diesem Augenblick kam Frau Schmidtke um die Ecke, wie immer eilig huschend. Ach du meine Güte – wäre sie doch ein bißchen später gekommen, nur ein ganz kleines bißchen! Dann wäre die Ziege aus der Raabestraße im Laden gewesen oder auch schon weg.

Frau Schmidtke nickte ein wenig mit dem Kopf, murmelte: »Guten Tag!« und stellte sich hinten an.

»Heil Hitler heißt der deutsche Gruß«, sagte die Ziege aus der Raabestraße laut und böse.

»Na, det soll ma wohl jedem selbst überlassen, wie er jrüßen will. Ick saje och juten Morjen und juten Tag. Finde det och viel schöner, wenn ick dem annern 'n juten Tag wünsche. Det können wa alle brauchen, nicht wahr?« erwiderte Frau Schumacher. Einige Frauen nickten.

»Wie Sie über den deutschen Gruß denken, sollten Sie lieber für sich behalten. Das wäre besser für Sie!«

»Na, na, na – nu ma sachte! Ick tu meine Pflicht wie jeder andere Deutsche. Außerdem ha ick zwee Söhne dabei – is det vielleicht nischt?«

Das saß! Die Ziege hatte nämlich auch einen Sohn, und eigentlich hätte der Soldat sein müssen. Aber der war u. k. geschrieben und saß in irgend so einem Naziamt hinter Akten. Der würde bestimmt heil davonkommen. Natürlich wußte das Frau Schumacher, und auch die meisten anderen Frauen wußten es. Und die Ziege wußte, daß sie es wußten. Und das machte sie wild. Und weil es dagegen nichts zu sagen gab, wandte sie ihre Wut gegen die Schwächste. Und das war Frau Schmidtke. Zunächst sagte sie noch zu Frau Schumacher: »Daß Ihre Söhne dabei sind, ehrt Sie als Frau und Mutter.« Dann aber streckte sie ihren Arm aus, wies auf Frau Schmidtke und sagte: »Um so schlimmer, daß solche noch immer unter uns geduldet werden.«

Frau Schmidtke wurde sehr blaß. Dann plötzlich sehr rot. Aber sie beherrschte sich und schwieg. Ihr Schweigen reizte die Ziege offensichtlich noch mehr, denn nun sagte sie: »Und dann kaufen solche Leute uns auch noch das Fleisch weg.«

Sehr leise erwiderte Frau Schmidtke: »Auch meine drei Kinder haben Hunger.«

Ja, die Schmidtkes hatten drei Kinder. Und diese Kinder waren Halbjuden, denn Frau Schmidtke war Jüdin. Ihre älteste Tochter Ruth ging in meine Klasse, ihre beiden jüngeren Schwestern, die Zwillinge, in die Quarta. Sie durften noch in unsere Schule gehen. Volljuden hatten die Oberschulen schon zum Teil verlassen müssen.

Ein Gesetz gegen die Überfüllung von deutschen Schulen und Hochschulen hatte ihnen den unbeschränkten Zugang gesperrt.

Ruth fühlte sich wohl in unserer Klasse. Wenigstens sagte sie das immer zu mir. Unsere Klasse war auch in Ordnung. Wir hatten keine so fanatischen Nazimädchen drin, nur eine Jungmädelführerin. Die war aber nur einmal gegen Ruth ausfällig geworden. Ich hatte sie fertiggemacht. Meine Stimme galt damals eine Menge in der Klasse, vor allem wegen meines Vaters. Oberstleutnant der Luftwaffe, aktiver Offizier – das zählte.

Seit damals hatte Ruth sich enger an mich angeschlossen. Ich mochte sie sehr gern, und wenn Rolands nicht gewesen wären, dann wäre Ruth sicher meine beste Freundin geworden. Wir trafen uns meistens in ihrem Elternhaus. Vater hatte gesagt: »Du weißt, ich habe nichts gegen deine Freundschaft mit Ruth. Ganz im Gegenteil. Und du weißt auch, wie ich über den Judenhaß denke und über alles, was sie auszustehen haben. Und es wird noch viel schlimmer kommen. Doch muß ich dich bitten, Ruth nicht allzu oft hierher zu holen. In meiner Position kann ich es mir einfach nicht leisten, so deutlich zu zeigen, wie ich über die Judenfrage denke.«

»Aber es ist doch meine Freundin.«

»Sicher ist sie das. Aber wenn sie hier aus- und eingeht, dann wissen alle Leute, daß Mutter und ich diese Freundschaft billigen und fördern. Und das ist nicht nur unnötig, sondern unklug.«

»Unklug? Wieso?«

»Es könnte durchaus sein, daß Schmidtkes unsere Hilfe noch einmal brauchen, in welcher Form auch immer. Und helfen können wir ihnen dann nur heimlich. Und darum braucht niemand zu wissen, wie wir über sie denken.«

Es fiel mir schwer, dies einzusehen. Doch Vater fügte hinzu: »Wenn du wieder dort bist, rede ganz offen mit Frau Schmidtke darüber. Es sollte mich wundern, wenn sie meine Argumente in den falschen Hals bekommt.«

Sie hatte Vaters Argumente nicht in den falschen Hals

bekommen. Ein paar Tage später war sie abends im Dunkeln zu uns gekommen und hatte lange mit meinen Eltern geredet. Worüber erfuhr ich nie. Sie war erst gegangen, als es Alarm gab. Mutter aber hatte ganz verweint ausgesehen.

Fortan besuchte ich Ruth so unauffällig wie möglich. Das ließ sich gut machen, weil Schmidtkes Haus mit dem verwilderten Garten an das Feld grenzte. So hatten sie nur auf einer Seite Nachbarn und kein Gegenüber. Hinter dem Holunderstrauch schnitten wir ein Loch in den Zaun. Dort schlüpfte ich hinein und heraus. Niemand sah es. Und wenn ich Frau Schmidtke auf der Straße traf, nickte ich höchstens ein bißchen mit dem Kopf.

So hatte ich sie auch eben nicht richtig gegrüßt, als sie sich angestellt hatte. Aber als sie nun sagte: »Auch meine drei Kinder haben Hunger ...«, da stieg's mir in den Hals wie ein Kloß.

»Jawoll«, sagte Frau Schumacher. »Kinder sind Kinder. Und Kinder ha'm Hunger und freun sich, wenn 'n schönes Stück Fleesch uff'm Tisch steht. Oder isset nich so?« Und sie blickte sich um.

Zwei, drei Frauen nickten, ein paar sahen zur Seite, und die anderen taten, als hätten sie überhaupt nichts gehört. Niemand sagte etwas.

Das gab der Naziziege Oberwasser: »Und was ist, wenn gerade sie das letzte Stück Fleisch bekommt? Dann steht bei Judenkindern Fleisch auf dem Tisch und andere müssen Gemüse und Kartoffeln essen ohne Fleisch.«

»So was Besondres is det ja nun ooch nich mehr, Jemüse und Kartoffeln ohne Fleesch.«

Irgendeine Frau vor mir fügte hinzu: »Wenn man's schmackhaft anrichtet ...«

Gott sei Dank machte endlich noch jemand den Mund auf. Wenn jetzt noch zwei, drei Frauen was sagten ... Dann wäre die Naziziege vielleicht endlich still.

Statt dessen aber sagte Frau Schmidtke sehr laut: »Sie haben ganz recht. So etwas Besonderes sind Gemüse und Kartoffeln ohne Fleisch ja gar nicht mehr. Und wahrscheinlich werde ich eines Tages noch dankbar sein, wenn ich meinen Kindern Gemüse und Kartoffeln auf den Tisch stellen kann. Ich sollte das jetzt schon viel öfter üben.« Und sie drehte sich um, sagte »Guten Tag!« und ging davon. Gar nicht eilig und gar nicht huschend wie sonst.

Die Ziege aber keifte los: »Dieses Pack! Auch noch unverschämt! Aber das waren sie schon immer: anmaßend, hinterhältig und feige. Ein Glück, daß wir in unserer Ortsgruppe nur noch wenige Juden haben. Wird höchste Zeit, daß der Staat endlich judenrein wird ...« Und so weiter, und so weiter. Ich hörte nicht mehr zu, sondern sah hinter Frau Schmidtke her. Sie ging sehr aufrecht die Uhlandstraße entlang.

Eine halbe Stunde später war ich endlich dran. Ich bekam tatsächlich ein schönes Stück Fleisch. Gar kein Zadder dabei. Zufrieden machte ich mich auf den Heimweg. Das trockene Ahornlaub knisterte unter meinen Füßen. Rotbraunes Laub. Die restlichen Blätter an den Bäumen waren golden. Die Uhlandstraße hatte herrliche Ahornbäume. Nur in der Schillerstraße gab es noch so schöne wie bei uns. In der Schillerstraße wohnten Schmidtkes. Die hatten nun also kein Pferdefleisch. Meine Tasche mit dem Fleisch, dem Klappstühlchen und dem Buch wurde sehr schwer.

»Na, kommst du endlich, du Arme! Hast aber lange anstehn müssen diesmal«, sagte Mutter, nahm das Fleisch aus der Tasche und wickelte es aus. »Oh – ein gutes Stück! Vater und Hannes werden sich freuen. Vielen Dank für die Mühe.«

Ich erwiderte nichts. Mutter blickte auf, sah mich an und fragte: »Was ist denn los mit dir? Du siehst ja aus wie sieben Tage Regenwetter.«

Da erzählte ich alles. »Nur Frau Schumacher hat den

Mund aufgemacht und hat's der alten Ziege gegeben. Und wie!«

»Ja – Frau Schumacher – die ist in Ordnung. Wenn wir mehr solche Leute hätten . . .« Mutter schwieg, nahm das Stück Fleisch in die Hand, wickelte es wieder ein und sagte: »Bring es den Schmidtkes!«

»Oh – darf ich? Ich hab unterwegs auch schon dran gedacht, hab mich aber nicht getraut. Wo Vater doch so viel arbeitet und Hannes so gern Fleisch ißt.«

»Geh nur. Ich sag's ihnen. Es wird ihnen bestimmt recht sein. Außerdem haben wir ja noch so manches zu essen, was andere nicht mehr haben.«

Nun waren wir also Landbesitzer geworden. Nein, nicht Besitzer, sondern Pächter. Schon im Winter hatten Onkel Oskar und mein Vater darüber geredet. Onkel Oskar hatte gesagt: »Die Obstbäume stehen zu eng. Ich kann außer Gemüse nicht auch noch Kartoffeln pflanzen. Und das Buschobst möchte ich auf keinen Fall opfern. Unsere Einkellerungskartoffeln sind jetzt schon fast weg. Und was ist dann? Die paar Nährmittel sind ja gar nicht der Rede wert. Zum nächsten Winter müssen mehr Kartoffeln her!«

Ja, Kartoffeln mußten her. Auch bei uns reichten die Einkellerungskartoffeln nicht. Und in unserem Garten Kartoffeln anzubauen – daran war gar nicht zu denken. Unser Garten war winzig verglichen mit dem Rolandschen. Onkel Oskar hatte die Idee mit den Rieselfeldern geboren. Davon gab es einige rund um Berlin. Direkt angrenzend an Lichtenrade, von Rolands nur zehn Minuten mit dem Rad zu fahren, waren ziemlich große. Onkel Oskar hatte einen Morgen gepachtet. Das war nicht einfach gewesen und ging nur mit Vitamin B. »Vitamin B« sagte man, wenn man etwas durch Beziehungen organisierte.

Ein Morgen Land ist nicht sehr groß, wenn sechs Kinder darauf spielen oder sich eine Höhle mit Geheimgängen bauen wollen. Soll man aber einen Morgen umgraben, glattharken und bepflanzen, dann ist er riesig.

Anfang März radelten wir alle zusammen an einem Sonntag los und fühlten uns schon als Bauern. Zwei Väter, zwei Mütter, Wolfgang, Ursula, Lisabeth und wir zwei. Erik war längst eingezogen und erhielt zur Zeit seine Infanterieausbildung. Erst danach sollte er zur Marine kommen.

Schon als wir durch den Wald radelten, merkten wir, wohin es ging. Es stank. Es stank sogar ganz erheblich, eben nach Rieselfeldern.

»Pfui Teufel, stinkt das hier eigentlich immer so?« fragte Mutter entsetzt.

»O nein, nur wenn die Felder frisch berieselt worden sind«, antwortete Onkel Oskar und lächelte.

Als wir aus dem Wald kamen, führte uns der Weg zu einem breiten Graben. Der war zur Hälfte voll mit einer graubraunen, schlammartigen Brühe. Obendrauf schwamm flockig Dickes herum. »Allerbester Dünger ist das«, meinte Onkel Oskar und strahlte. Über den Graben war eine Brücke aus grob behauenen Bohlen gelegt. Gleich dahinter kam unser Stück Land. Land? Das war alles andere als Land! Mindestens fußhoch standen die Abwässer der Bürger der Reichshauptstadt auf unserem Stück. Die Berliner waren zweifelsohne nette Leute, und wir alle fanden sie auch in Ordnung. Aber auf ihre Fäkalien hätten wir trotzdem gerne verzichtet.

Onkel Oskar aber stand am Rande des Feldes und hielt eine richtige Rede: »Was meint ihr, was für ein prima Dünger das ist! Viel besser als Stallmist. Wir werden Kartoffeln ernten – Kartoffeln wie Kindsköpfe! Ich schlage vor, daß wir die eine Hälfte für Kartoffeln nutzen, die andere für Gemüse, Kohl, Steckrüben, Wurzeln« – Onkel Oskar war gebürtiger Hamburger und sagte nicht »Mohrrüben«, sondern »Wurzeln« – »für Bohnen und Erbsen . . .«

»Und Teltower Rübchen«, fiel ihm Lisabeth ins Wort. »Bitte, Papi, auch Teltower Rübchen!«

»Natürlich auch Teltower Rübchen«, erwiderte Onkel Oskar, »und natürlich auch Radieschen, viele, viele Radieschen, damit wir was zu essen haben, wenn wir hier Schwerarbeit leisten müssen.«

Schwerarbeit stand uns allerdings bevor. »In vierzehn Tagen ist das alles weggesickert, und dann können wir umgraben«, meinte Onkel Oskar.

»Alles mit dem Spaten?« fragte Tante Lore entgeistert.

»Mahlzeit!« brummte Wolfgang.

Und Ursula: »Ohne mich!«

»Nein, nein, das mach' ich mit Franz und den beiden Jungen ganz allein. Zwei Wochenenden und ein paar Abende sind nötig.«

»Hm«, meinte Vater und legte den Kopf schief. Das tat er immer, wenn er einen Einfall hatte. »Hättest du eigentlich was dagegen, wenn wir uns den Acker umpflügen und eggen ließen? Aber es soll wirklich nur eine Anfrage sein.«

»Im Prinzip hätte ich nichts dagegen. Nur wirst du niemanden kriegen.«

»Hm, mal sehn«, sagte Vater. Mehr nicht.

Da es also für diesmal absolut nichts zu tun gab, wollten wir wieder nach Hause fahren. Das erwies sich für Vater jedoch als erhebliches Problem. Er konnte nämlich nur mit Hilfe eines Rinnsteins aufsteigen, also wenn er etwas höher stand als das Rad. Dann bekam er das rechte Bein über die Stange. Aber bei den Rieselfeldern gab es keinen Rinnstein.

Gottlob war Vater nicht eitel. Wäre er es doch gewesen, dann wäre seine Eitelkeit bestimmt reichlich befriedigt worden, solange er Uniform trug. Ein Offizier mit einem Stern auf geflochtenem Achselstück – das war etwas. Bei den Leuten im RLM und bei den Soldaten auf der Straße flogen die Hände an die Mützen, und die Absätze knallten. Vater legte nicht viel Wert darauf. Er war immer froh, wenn das Wetter so schlecht war, daß er den Umhang überziehen konnte. Der hatte keine Rangabzeichen, und niemand wußte, was für Achselstücke sich darunter verbargen. Dann grüßten die Soldaten auf der Straße auch längst nicht so zackig.

Hin und wieder holte ich ihn in der Stadt oder im RLM ab und war dann sehr stolz, wenn alle vor ihm strammstanden. Er aber zog zu Hause immer als erstes die Uniform aus. Auch wenn wir weggingen, zog er Zivil an. »Manchmal möchte ich auch noch ich selbst sein.«

Nun also stand er neben seinem Rad und blickte ziemlich hilflos drein. Rolands merkten zunächst nichts, weil sie die Situation nicht übersahen. »Ich schieb bis zur Brücke«, meinte Vater und ging los.

»Wir kommen auch gleich«, erwiderte Mutter. Als er außer Hörweite war, erklärte sie das Problem. Wolfgang lachte schallend los. Aber sein Vater langte ihm eine runter, daß es klatschte.

»Wir werden ihm eben einen Rinnstein bauen«, sagte Onkel Oskar und schwang sich auf sein Rad. Wir alle hinterher. Wir überholten Vater und stiegen hinter der Brücke ab. Onkel Oskar nahm seinen Spaten und fing an, einen Erdwall anzuschütten. Vater schaute interessiert zu, fragte aber nicht. Nur an seinen blitzenden Augen sah ich, daß er sofort begriffen hatte, wozu da der Wall geschaufelt wurde. Es machte ihm offensichtlich Spaß so zu tun, als begriffe er gar nichts. Unsere Mütter, Ursula, Lisabeth und Wolfgang verkniffen sich ihr Lachen. Onkel Oskar war noch am Schippen, da bestieg Vater gelassen den Wall, schwang sein Bein über die Stange und sagte im Losfahren: »Danke für den guten Einfall. Ich werde mich revanchieren.«

Er revanchierte sich bald. Ohne Onkel Oskar etwas zu

sagen, ließ er das Feld umpflügen und eggen. Es kostete ihn allerdings zwei Kisten Zigarren und eine Flasche Schnaps. Bei uns um die Ecke rum gab es nämlich noch einen kleinen Bauernhof, zu dem das Feld am Ende unserer Straße gehörte. Der alte Bauer hatte auch ein Pferd, und als er hörte, daß nicht nur guter Stundenlohn, sondern Zigarren und Schnaps winkten, war er sofort zum Pflügen bereit.

Zwei Sonntage später fuhren wir wieder alle mit Spaten bewaffnet zum Feld hinaus. Das Feld war fein säuberlich gepflügt und geeggt. Vater hatte einen Mordsspaß. »Ich werde mich revanchieren«, sagte nun auch Onkel Oskar. Was er wohl vorhatte?

Als wir am nächsten Wochenende hinkamen, um Kartoffeln zu legen, sahen wir es: Gleich hinter der Brücke am Waldweg war ein kleines Stück Rinnstein aus Beton entstanden mit sauberen Kanten. Und diesmal hatte Onkel Oskar einen Mordsspaß. Er sagte: »Aus Zementresten vom Bunkerbau.«

Wir legten Kartoffeln. Die Saatkartoffeln hatten wir auch nur mit Vitamin B bezogen. Unverschämt teuer und obendrein noch zwei Paar Schuhe und ein alter Anzug dazu. Kartoffelnlegen ist mühsam, wenn man keine richtigen Geräte hat. Aber Onkel Oskar hatte einen Kartoffelleger erfunden: an einem dicken Stiel eine lange Querlatte, in die er sechs spitz zulaufende Pflöcke getrieben hatte im Abstand der zukünftigen Reihen. Es war ein schweres, unförmiges Gerät, und wir rissen unsere Witze. Aber das taten wir nur so lange bis wir sahen, wie gut das Ding funktionierte. Natürlich funktionierte es nur so gut, weil der Sandboden der Mark Brandenburg so locker ist. Onkel Oskar hatte Mordskräfte. Er schritt über den Acker dahin, und bei jedem Schritt rammte er seinen Kartoffelleger in den Boden. Das gab sechs Löcher. Wir hatten viel zu tun, mit unseren Kartoffeln im Beutel nachzukommen, sie in die Löcher zu stekken und die Löcher mit den Füßen zuzuscharren und festzutreten. Zwar wurden die Reihen krumm und schief – aber was machte das schon! Kartoffeln wachsen auch in krummen Reihen. Und da wir später ohnedies mit der Hand häufeln mußten, war es ja egal, wie die Stauden standen.

Am Abend waren wir alle fix und fertig. Wir waren wohl doch nicht so recht als Bauern gemacht. Im Keller bei Rolands lagerte noch viel Apfelsaft. Während wir Kinder uns darüber hermachten, hatten es unsere Väter wieder von der Politik. Mutter sagte vorwurfsvoll: »Muß das denn sein? Der Tag war so schön, und wir hatten den Krieg und alles vergessen. Warum könnt ihr denn nicht einmal davon schweigen!«

Und Tante Lore fing wieder wegen Erik zu jammern an.

»Ich krieg ihn nicht wieder. Ich weiß genau, ich krieg ihn nicht wieder, wenn der Krieg nicht schnell zu Ende geht.« Was war nur in Tante Lore gefahren? Seit Erik in der Ausbildung stand, jammerte sie immerzu: »Ich krieg ihn nicht wieder!« Und dabei war Erik zur Zeit in Norddeutschland. »Weitab vom Schuß«, wie Vater sagte, um sie zu trösten. Trotzdem konnte Tante Lore nur noch jammernd von ihm reden.

Vielleicht ging der Krieg ja doch rascher zu Ende, als Vater immer prophezeite? Wir hatten gerade mal wieder einen Blitzsieg errungen, diesmal im Südosten Europas. Jugoslawien und Griechenland hatten kapituliert, und die Engländer hatten Griechenland räumen müssen. Die Bonzen spuckten große Töne. Ribbentrop hatte gesagt: »Wir wissen heute schon, daß der Krieg für Deutschland und seine Verbündeten gewonnen ist. Am Ende dieses Jahres wird es, glaube ich, die ganze Welt wissen.«

Vater aber sagte zu Onkel Oskar: »Wir werden uns noch totsiegen.«

Jetzt war es soweit. Der Krieg gegen Rußland hatte begonnen. Seit dem 22. 6. nachts 3 Uhr 15 rückten unsere Divisionen im Osten vor, ohne Kriegserklärung. Die schien auch nicht nötig zu sein. Es galt ja, den bolschewistischen Truppen zuvorzukommen, die nach monatelangen geheimen Vorbereitungen zum Angriff gegen das Reich und Europa an der Grenze aufmarschiert waren. So wenigstens hieß es bei den Nazis. Hitler verkündete im Radio: »Deutsches Volk! Nationalsozialisten! Von schweren Sorgen bedrückt, zu monatelangem Schweigen verurteilt, ist nun die Stunde gekommen, in der ich endlich offen sprechen kann.« Er sprach sehr lange, und diesmal hörten wir sogar zu, Hannes und ich. Mutter jätete derweilen Unkraut im Garten. Wenn sie die Stimme Hitlers hörte, wurde sie entweder rasend vor Zorn oder es wurde ihr schlecht. Und dabei war sie eine so sanfte, friedliebende Frau.

Hitler gab einen langen Rechenschaftsbericht, wie es überhaupt 1939 zum Krieg hatte kommen können. Natürlich waren die Engländer daran schuld, wie sie es seit eh und je gewesen waren. Und natürlich war dem Führer auch der Balkanfeldzug und nun von langer Hand her der Rußlandfeldzug aufgezwungen worden, wie wir jetzt hörten: »Während Deutschland im Frühjahr 1940 seine Streitkräfte im Sinne des Freundschaftspaktes weit von der Ostgrenze zurückzog, ja diese Gebiete zum großen Teil überhaupt von deutschen Truppen entblößte, begann bereits zu dieser Zeit der Aufmarsch russischer Kräfte in einem Ausmaß, das nur als eine bewußte Bedrohung Deutschlands aufgefaßt werden konnte.« Bis zuletzt habe er eine friedliche Lösung angestrebt, doch umsonst, wie er nun sagte: »In der Nacht vom 17. zum 18. Juni haben wieder russische Patrouillen auf deutsches Reichsgebiet vorgefühlt und konnten erst nach längerem Feuergefecht zurückgetrieben werden. Damit aber ist nunmehr die Stunde gekommen, in der es notwendig wird, diesem Komplott der jüdisch-angelsächsischen Kriegsanstifter und der ebenso jüdischen Machthaber der bolschewistischen Moskauer Zentrale entgegenzutreten. Deutsches Volk! In diesem Augenblick vollzieht sich ein Aufmarsch, der in Ausdehnung und Umfang der größte ist, den die Welt bisher gesehen hat!«

Wir beugten uns über den Atlas und verfolgten mit dem Finger die Linie, die Hitler mit einigen Namen zog: Nördliches Eismeer, Finnland, Ostpreußen, Karpaten, Ufer des Pruth, Unterlauf der Donau bis zu den Gestaden des Schwarzen Meeres.

Hannes meinte: »Donnerwetter, hab nie gedacht, daß ich ihm mal zustimmen würde. Aber diesmal hat er tatsächlich recht mit dem größten Aufmarsch aller Zeiten. Wenn man allein die Länge der Front so anguckt ... Und dann sieht, bis wohin die Soldaten marschieren müssen, wenn sie Moskau einnehmen wollen ... Und was dann dahinter noch kommt ...«

»Arme Soldaten!« konnte ich nur erwidern. Hitler aber sagte gerade: ». . . die Zukunft des deutschen Reiches und unseres Volkes wieder in die Hand unserer Soldaten zu legen. Möge uns der Herrgott gerade in diesem Kampfe helfen!«

»Warum er nur immer vom lieben Gott spricht, mit dem er doch gar nichts im Sinn hat«, sagte ich.

»Das macht die Schwere der Stunde. Du hast es ja selbst gehört: ›Von schweren Sorgen bedrückt ...‹«, entgegnete Hannes und streckte mal wieder die Brust raus.

Vater aber sagte ein paar Tage später, als die ersten Siege im Osten bekanntgegeben wurden, Brest-Litowsk eingenommen war und der Vormarsch auf Lemberg und Minsk planmäßig verlief: »Das ist der Anfang vom Ende.« Er war bedrückt, aber nicht mehr so nervös wie vor dem Beginn des Rußlandfeldzuges.

»Hoffentlich gibt es ein rasches Ende«, meinte Mutter.

»Ein rasches Ende? Wie stellst du dir das vor? Erstmal

werden wir siegen und noch mal siegen und immer weiter vorstoßen. Das kostet Gefallene, Verwundete – Hunderttausende. Doch darüber wird kein Wort verloren. Es soll ja wieder ein Blitzkrieg werden. Sechs, acht Wochen, höchstens drei Monate rechnen die Herren. Sie beraten ja schon darüber, was nach der Zerschlagung der sowjetischen Wehrmacht werden soll.«

Hannes lachte, und Mutter machte ein verdutztes Gesicht. Während Vater die Uniform auszog und in seine alte Hose schlüpfte, weil er noch im Garten arbeiten wollte, fuhr er fort: »O ja, schon alles genau festgelegt. Deutschland und Italien werden das europäische Festland militärisch beherrschen. Irgendeine ernsthafte Gefährdung des europäischen Raumes zu Lande besteht dann ja nicht mehr.«

»Und wie will man den riesigen russischen Raum beherrschen?« fragte Hannes.

»Da man annimmt, daß im Spätherbst der Ostfeldzug siegreich beendet sein wird, fallen der Wehrmacht dann wichtige Aufgaben zu. Der neu gewonnene Raum wird unter Mitwirkung der Wehrmacht natürlich wirtschaftlich genutzt.«

»Ah – so ist das gedacht«, sagte Mutter, »dann kommen also unsere Soldaten auch nach siegreich beendetem Rußlandfeldzug nicht nach Hause – was?«

»Der russische Raum muß doch besiedelt werden«, rief Hannes in seinem Bonzen-Ton. »Ich zeig euch was.« Und er rannte die Treppe rauf und kam mit irgend so einer Schrift des SS-Hauptamtes zurück. »Hier steht's ja. Hört zu: ›Was aber den Goten, den Warägern und allen einzelnen Wanderern aus germanischem Blut nicht gelang – das schaffen jetzt wir, ein neuer Germanenzug, das schafft unser Führer, der Führer aller Germanen. Jetzt wird der Ansturm der Steppe zurückgeschlagen, jetzt wird die Ostgrenze Europas endgültig gesichert, jetzt wird erfüllt, wovon germanische Kämpfer in den Wäldern und Weiten des Ostens einst träumten. Ein dreitausendjähriges Geschichtskapitel bekommt heute seinen glorreichen Schluß. Wieder reiten die Goten, seit dem 22. Juni 1941 – jeder von uns ein germanischer Kämpfer! . . .‹«

»Hör auf, mein Junge«, unterbrach ihn mein Vater, und seine Stimme klang sehr müde. »Bestimmt wird die Ostgrenze Europas endgültig gesichert. Davon bin auch ich überzeugt. Allerdings sehr anders, als die Herren meinen. Unsere Goten werden westwärts reiten, und der Ansturm der Steppe wird ihnen folgen. Wir werden noch froh sein, wenn dieser Ansturm an der Oder zum Halten kommt.«

Mutter fragte entsetzt: »Du meinst allen Ernstes, die Russen könnten eines Tages auf Berlin zumarschieren?«

»Ja, das meine ich, meine Liebe«, erwiderte Vater.

»Aber da wär doch der Krieg vorher bestimmt längst zu Ende«, sagte Hannes, »da hätten wir doch kapituliert.«

»Kapituliert?« fragte Vater. »Du hast seltsame Vorstellungen von den Herren, mein Junge. Die kapitulieren nie, die kämpfen bis zur letzten Patrone. Und was dann von Deutschland noch übrig ist . . .«

Vater brach ab. Ich blickte ihn an. Zum ersten Mal fielen mir die tiefen dunklen Schatten unter seinen Augen auf, die ich von nun an öfter bemerkte. Oder hatte ich sie bisher nicht gesehn, weil Vater so brünett und vom Frühjahr bis in den Herbst hinein immer sehr braun war? Für ihn genügten zwei Stunden Sonne im März, und er sah aus wie andere Leute nach einem Urlaub am Meer. Er kam mir plötzlich sehr alt vor. Dabei war er gerade erst fünfzig geworden. Aber jetzt sah er wie mindestens sechzig aus. Ich überlegte angestrengt, was ich sagen könnte, um ihn aus seiner düsteren Stimmung zu reißen. Ihn und meine Mutter und Hannes. Da fiel es mir ein: »Aber wenn die Russen auf Berlin zumarschieren, dann wirst du ja bald roter Reitergeneral.«

»Wollte Gott, ich wär es schon!« erwiderte er, und es hörte sich leider gar nicht heiter an.

Nachts gab es mal wieder Alarm. Der lief damals bei uns meistens noch so ab: hatten die Sirenen aufgehört zu heulen, rief Hannes: »Was ist – stehn wir auf?«

Und Vater antwortete aus dem Schlafzimmer: »Noch nicht. Bezieh den Beobachtungsposten!«

Der Beobachtungsposten waren die beiden Fenster oben im Treppenhaus. Von dort konnte man nach Westen, Norden und Osten sehen. Früher waren wir immer auf den Dachboden gestiegen, weil man aus den Dachfenstern einen freien Rundblick nach allen Seiten hatte. Doch dann war in der Nähe des Bahnhofs Lichtenrade Flak aufgefahren worden, auf Eisenbahn-Tiefladewagen, vier schwere 10,5-Geschütze. Wenn die losdröhnten, klirrten bei uns die Scheiben. Schossen sie in unsere Richtung, dann hagelten öfter Splitter aufs Dach, und die dicken durchschlugen manchmal die Ziegel. Darum durften wir nun nicht mehr auf den Dachboden bei Alarm, trotz unserer Stahlhelme. Ja, wir hatten Stahlhelme, und die setzten wir auch damals schon immer auf, wenn wir unseren Beobachtungsposten bezogen.

Jetzt also standen wir wieder an den Fenstern im Treppenhaus. Zunächst tat sich gar nichts. Es dauerte meistens noch einige Minuten nach dem Sirenengeheul, bis es losging. Die Lichtkegel der Scheinwerfer huschten über den Himmel. Rund um Berlin standen sehr viele Scheinwerfer. Mit ihren riesigen steifen Fangarmen tasteten sie den Nachthimmel ab. Irgendwo im Westen begann die Flak zu schießen.

»Sollen wir nicht doch lieber aufstehn?« hörte ich Mutter fragen. Auch diese ständig wiederkehrende Frage meiner Mutter gehörte zu den nächtlichen Alarmen. Sie fragte wohl überhaupt nur, um von Vater beruhigt zu werden: »Das gilt doch nicht uns! Die suchen ganz andere Ziele.«

Und das taten sie damals auch noch.

»Jetzt haben sie einen!« schrie Hannes. Ein Flugzeug war von einem Scheinwerfer eingefangen worden. Ich hörte meine Eltern aus den Betten springen. Im Nu waren sie bei uns an den Fenstern. Einen Tommy im Scheinwerfer hatten wir noch nicht allzu oft gesehen. Jetzt war es nicht mehr ein Scheinwerfer, sondern mindestens ein halbes Dutzend. Sie hatten das Flugzeug in den Schnittpunkt ihrer Fangarme genommen. Wie ein winziger silberner Fisch schwamm es drin rum. Die Flak schoß wie verrückt. Die Maschine flog in unsere Richtung. »Sollen wir nicht lieber in den Keller gehn?« fragte Mutter.

»Jetzt, wo es spannend wird?« entgegnete Hannes entrüstet. Nun fingen auch die 10,5-Geschütze zu schießen an. Wir zuckten zusammen und zogen die Köpfe ein. Leuchtmunition zog der Maschine in Streifen entgegen. »Ob sie ihn kriegen?« fragte Hannes.

Plötzlich machte das Flugzeug eine Wendung. Die Scheinwerfer folgten ihm. Da – stürzte es ab? Es kippte über die linke Tragfläche schräg nach unten und verschwand in der Dunkelheit.

»O Gott«, flüsterte meine Mutter. Die Flak schoß noch immer aus allen Rohren. »O Gott, die armen Burschen!«

»Nein, die sind entwischt«, erwiderte Vater, »geschicktes Manöver . . .«

»Meinst du?« fragte Hannes.

»Ja. Mit einem Treffer hätten wir die Maschine bei der geringen Entfernung abstürzen sehen.«

Mir war nicht ganz klar, ob Vater das nur sagte, um Mutter zu beruhigen oder ob er es selbst glaubte. Er mußte es ja eigentlich wissen. Er war sehr viel geflogen, schon im Ersten Weltkrieg, als Aufklärungsflieger. Er trug noch heute auf der Uniform unter dem Eisernen Kreuz Erster Klasse das Fliegerabzeichen für Armeebeobachter. Manchmal tippte er darauf und sagte: »Das ist mir das liebste von der ganzen Garnierung.«

Mehr Aufregendes gab es bei dem heutigen Alarm nicht zu sehen. Es wurde noch ziemlich lange geschossen. Stadteinwärts im Nordwesten färbte sich der Himmel rot. Da hatten sie ihre Brandbomben abgeschmissen. Nach der Entwarnung sagte Mutter: »Es würde mich doch beruhigen, Franz, wenn wir unseren Luftschutzkeller von Opa ein bißchen herrichten ließen. Auch wenn sie noch ganz andere Ziele suchen. Aber es könnte doch sein, daß so ein Flugzeug seine Bomben einfach irgendwo abwirft, wenn es beschossen wird.«

Vater erwiderte nur: »Hm, wenn du meinst ...« Es war das erste Mal, daß er nicht -zig Gründe gegen den Ausbau unseres Kellers vorbrachte. Mutter war offensichtlich erleichtert. Sie sagte: »Weißt du, Franz, wenn es wirklich bedrohlicher werden sollte mit den Angriffen, auch für uns hier draußen, dann wäre ein gut ausgebauter Keller ein gewisser Schutz. Denn bis zu Oskars Bunker ist es ja wohl doch zu weit.«

Onkel Oskar meinte nämlich immer: »Wenn's ernst wird, dann schwingt ihr euch auf die Räder und kommt schnell zu uns. Im Bunker ist genug Platz.«

Ja, der Rolandsche Bunker war inzwischen fertig geworden, und wir hatten Einweihung gefeiert. Fast so, als wäre ein Haus fertig geworden und nicht nur ein Luftschutzbunker. Aber wahrscheinlich war so ein Bunker jetzt auch mindestens so viel wert wie ein Haus. Ein Haus – das konnte zusammenstürzen und einen im Keller begraben. Aber so ein Bunker, der hielt bestimmt, wenn nicht gerade eine Bombe direkt obendrauf fiel.

Wir hatten ausgiebig gefeiert, wie immer, wenn es einen Anlaß zum Feiern gab. »Wer weiß, wie lange uns noch danach zumute ist«, sagte Tante Lore und dachte dabei bestimmt an Erik. Mit drei Flaschen Sekt im Eimer voll Eiswasser waren wir singend durch den Rolandschen Garten marschiert und in den Bunker gezogen. Der lag am Ende des Grundstücks, mehrere Stufen ging es in die Erde hinunter. Es gab sogar schon Licht. Das Ding war nicht sehr breit. Auf den Bänken an den Längswänden konnte man sich gerade eben gegenübersitzen, ohne daß sich die Knie berührten. Aber das genügte ja auch.

Sekt war schon damals etwas ganz Besonderes. Man bekam längst keinen mehr. Ich hatte erst ein einziges Mal welchen getrunken, an Hannes' Konfirmation. Onkel Oskar spendierte uns Kindern jedem ein Glas voll. Das trank sich wie Sprudel. Die Wirkung allerdings war sehr anders als bei Sprudel. Die Streifen der Schalbretter auf den Betonwänden vor mir fingen zu schwanken an. Ich sagte irgendwas, wahrscheinlich etwas Komisches, denn alle lachten los. Plötzlich stand Wolfgang auf, zog ein Stück Kreide aus der Tasche, stieg auf die Bank und fing an, auf die Betonwand zu zeichnen. Wolfgang konnte prima zeichnen, am besten Karikaturen. Er machte ein Ei, die obere Hälfte des Eies füllte er mit ein paar schräglaufenden Strichen aus, unter den Strichen ein Punkt. Ach natürlich – das sollte ein Auge sein. Das Ganze war gar kein Ei, das war der Kopf des »Führers«. Fehlte nur noch der Schnauzer. Der kam jetzt. Dann der Hals und herabhängende Arme. Gleich daneben ein zweites Ei. Nun fielen die Haare noch tiefer in die Stirn, unter dem Schnauzer ein weit aufgerissener Mund, die Arme erhoben, zu Fäusten geballt. Es folgten ein drittes, viertes und fünftes Ei, mit wenigen Strichen immer wildere Haare, die Arme wie in Krämpfen gebogen. Das letzte Ei lag auf dem Boden, die Hände waren in ein Stück Stoff verkrallt, das riesige Maul biß in den Stoff.

»Teppichbeißer!« schrieb Wolfgang darunter. Ja, man sagte von Hitler, er bisse in den Teppich, wenn er seine Wutanfälle bekäme. Wir lachten alle.

Dann nahm mein Bruder das Stück Kreide. Er konnte nicht so gut zeichnen. Er zeichnete nur drei Sektflaschen an die Schmalseite des Bunkers und schrieb dazu: »Bunkereinweihung, 27. 6. 41.«

Ehe wir ins Haus zurückgingen, befahl Onkel Oskar: »Los Wolfgang, lösch den Führer aus!«

»Och – er ist doch so schön geworden.«

»Sofort löschst du ihn aus! Der Bunker hat noch keine Tür. Jeder kann rein.«

Wolfgang tat, als begriffe er nicht. »Na und? Ist mir doch egal.«

»Mir aber nicht!« sagte Onkel Oskar. »Und außerdem: Findest du's denn so schlimm, den Führer auszulöschen?«

Vater fügte hinzu: »Wenn du ihn nicht auslöschst, wird er uns auslöschen – ganz rasch.«

Da ließen wir dann doch lieber die Eier schnell verschwinden. Nur die Sektflaschen blieben stehen.

Opa kam, um aus dem Keller einen halbwegs tauglichen Luftschutzkeller zu machen. Oma kam natürlich auch mit. Das ging einfach nicht anders. Warum, weiß ich nicht. Niemand wußte es. Am allerwenigsten Vater, der immer ganz miese Laune hatte, wenn Opa und Oma kamen. Sie hatten sich schon für Sonnabend vormittag angemeldet. Vater war gleich morgens zum Feld gefahren und hatte irgendwas von Jäten gemurmelt. Dabei wußten wir, daß es im Augenblick nichts zu jäten gab. Mutter hatte ihm ein paar Brote mitgegeben, weil er erst abends wiederkommen wollte. »Bis zum Sonntag abend habe ich noch viel von Oma und Opa, mehr als genug!« hatte er gesagt.

Früher hatte er es ganz gut mit seinen Schwiegereltern gekonnt. Es fing an, kritisch zu werden, als die Nazis sich immer dicker aufbliesen. Da war Opa nämlich in die Partei eingetreten. Er hatte gesagt: »Ich kann es mir als Beamter nicht leisten, nicht in der Partei zu sein.« Vater war fuchsteufelswild geworden, als Opa zum ersten Mal mit dem Parteiabzeichen auf dem Mantelrevers erschien. »In meinem Hause bin ich der Herr!« hatte er geschrien, nachdem Opa ihm ein paarmal widersprochen hatte. »Entweder du kommst ohne das Ding da oder überhaupt nicht.«

»Aber Franz, du weißt doch, wie ich eigentlich über das Regime denke. Da gehn unsere Meinungen ja gar nicht so weit auseinander. Aber ich bin schließlich Beamter!«

»Ich kenne viele Beamte, die keine Pg sind«, hatte Vater noch lauter geantwortet und dann die Tür hinter sich zugeknallt.

Fortan kam Opa ohne Parteiabzeichen. Das kostete ihn allerdings erhebliche Standfestigkeit bei Oma. Denn Oma war mit Opas Eintritt in die Partei recht einverstanden gewesen. Sie war nämlich von den Taten des Führers sehr angetan. »Was er allein aus unserer Jugend gemacht hat!« sagte sie öfter. Das konnten wir noch verstehen, wenn wir die Dinge mit ihren Augen zu sehen versuchten. Oma und Opa waren nämlich früher große Turner gewesen. Sie waren sogar jetzt noch aktiv, obgleich Opa der Pensionierung entgegenging. Turnvater Jahn war ihr Ideal. Und machte Adolf Hitler mit der Jugend von heute nicht etwas Ähnliches wie Turnvater Jahn vor rund hundert Jahren? So sah es Oma.

Und weil sie ganz davon überzeugt war, daß der Führer nur zum besten unseres Volkes wirke, pflegte sie auch mit dem deutschen Gruß zu grüßen. Allerdings nie in unserer Gegenwart. Aus dem Krach wegen des Parteiabzeichens hatte sie gelernt. Meine Eltern vermieden es seit damals, irgendwelche politischen Gespräche mit ihnen zu führen. Und das war sicher gut so.

Nun also war Opa da, um unseren Keller auszubauen. Wir hatten ein paar starke Balken besorgt und einen Haufen Bretter. Hannes und ich halfen ihm. Vater hätte das sowieso nicht gekonnt. Er war viel zu ungeschickt bei solchen Arbeiten. Er konnte kaum einen Nagel in die Wand schlagen. Entweder wurde der Nagel krumm, oder

der Putz brach heraus, oder er schlug sich auf die Finger und sein Fingernagel wurde blau.

Opa aber war »Meister Hämmerlein« in unserer Familie. Solange ich zurückdenken konnte, hieß er so. Als ich klein war, hatte er mir ein großes Puppenhaus gebaut. Nicht nur irgend so eine Puppenküche, nein, ein richtiges zweistöckiges Haus. Die Fenster konnte man auf- und zumachen. In jedem Zimmer gab es Licht, das man an richtigen Schaltern an- und ausknipsen konnte. Und in der Küche über dem Waschbecken lief aus winzigem Hahn sogar Wasser. Das kam aus einem Behälter außen am Haus. Es war das schönste und komfortabelste Puppenhaus, das ich je gesehen hatte. Obgleich ich inzwischen längst nicht mehr damit spielte, stand es noch immer in der Ecke in meinem Zimmer. Weil ich mich nicht davon trennen konnte. Und wahrscheinlich stünde es auch heute noch irgendwo bei mir herum, wenn damals bei der Luftmine nicht das halbe Haus zusammengestürzt wäre. Gottlob, daß unser Keller so gut abgestützt war, sonst wäre er nämlich eingestürzt und hätte Mutter und mich und unsere Nachbarsleute verschüttet und begraben.

Aber daran dachten wir nicht, als wir die Balken als Stützen aufrichteten. Hannes und ich mußten sie halten, während Opa starke Keile zwischen Kellerdecke und Balken trieb. Sechs Stück richteten wir auf. Zwei waren im Holz noch ziemlich frisch und rochen nach Harz. Als wir später immer öfter unsere Nächte im Keller verbringen mußten, hatten wir sogar Betten unten und versuchten zu schlafen, sofern man das konnte. Einmal träumte mir, ich sei mitten im Wald. Das kam wohl von dem Harzgeruch der Balken. Ein schrecklicher Sturm tobte, Bäume stürzten um. Mit einem Schrei fuhr ich hoch. Das Krachen der stürzenden Bäume dröhnte mir noch in den Ohren. Aber das waren keine Bäume, sondern Bomben. Sie fielen ein Stück weit weg, es war ungefährlich für uns. Nur das Dach war mal wieder halb abgedeckt. Aber das war es damals alle naselang. Hannes und ich hatten längst gelernt, wie man es wieder dekken mußte. Dachziegel wurden damals noch geliefert und an den Straßen abgeladen. Jeder holte sich, was er brauchte.

Nachdem wir den Keller abgestützt hatten, nagelte Opa aus den Brettern für die Kellerfenster einen Splitterschutz. Der wurde so angebracht, daß zwischen Fenster und Holz ein ziemlich breiter Zwischenraum blieb. Den füllten wir später mit Sand aus. Der dickste Bombensplitter wäre drin steckengeblieben.

Als Vater abends vom Feld nach Hause kam, war der Keller fertig. Das versöhnte ihn mit Omas und Opas Anwesenheit. Aber eine Debatte gab es trotzdem noch beim Abendessen, allerdings nur eine kleine, und die war ganz ungefährlich. Opa sagte nämlich: »Was ich tun konnte, habe ich getan. Aber der Keller müßte noch einen Notausgang kriegen.«

Vater darauf: »Hm. Und wo sollte der sein?«

»Am besten, ich mache einen Wanddurchbruch ins Nachbarhaus.«

»Wie – die Wand öffnen zu Kohlers?« fragte Vater entgeistert.

»Ja, am besten in der Waschküche. Nur gerade ein Loch zum Durchschlüpfen.«

»Kommt gar nicht in Frage, Opa!« entgegnete Vater ziemlich scharf.

»Und warum nicht?«

»›Warum nicht?‹ fragst du noch? Meinst du, ich will fremde Leute in meinem Haus haben, die kommen und gehen können, wie es ihnen paßt?«

»Na, na, Franz – das tun sie sicher nicht. Ist doch nur für den Notfall gedacht.«

»Tun sie nicht? Hast du eine Ahnung, wie neugierig die sind! Wenn Besuch kommt oder irgendwelche Offiziere aus dem RLM, dann steht der Alte immer hinter der Gardine.«

»Aber das tut dir doch nicht weh, Franz!«

»Nein, das tut mir nicht weh. Da hast du allerdings recht. Aber es tut mir weh, wenn sie in meinem Keller herumschleichen und womöglich die Treppe heraufkommen ohne mein Wissen. Hinter der Kellertür versteht man jedes Wort, das hier geredet wird.«

»Du mußt nicht so mißtrauisch sein, Franz.«

»Mißtrauen nennst du dies bißchen Vorsicht? Wo es einem heute so schnell den Kopf kostet?«

»Na, na, na. So locker sitzen die Köpfe nun wohl doch nicht auf den Hälsen.«

»Die sitzen viel lockerer, als du ahnst. Ich könnte dir da ein paar Fälle erzählen . . . Ach, lassen wir das . . .«, brach Vater ab und machte eine unwirsche Handbewegung. »Der Durchbruch wenigstens wird nicht gemacht. Kommt überhaupt nicht in Frage.«

Nein, damals machten wir ihn noch nicht. War ja auch noch nicht nötig. Erst später, als sie anfingen, auch in unserer Gegend Bomben zu schmeißen. Aber da war Vater schon weg.

Am 1. September 1941, zwei Jahre nach Kriegsbeginn, wurde der Judenstern eingeführt. In einer Polizeiverordnung hieß es: »Juden, die das sechste Lebensjahr vollendet haben, ist es verboten, sich in der Öffentlichkeit ohne einen Judenstern zu zeigen. Der Judenstern besteht aus einem handtellergroßen, schwarz ausgezogenen Sechsstern aus gelbem Stoff mit der schwarzen Aufschrift ›Jude‹. Er ist sichtbar auf der linken Brustseite des Kleidungsstücks fest aufgenäht zu tragen.«

»O Gott«, sagte Mutter.

»Diese Schweinebande«, fluchte Hannes.

Ich fragte: »Und Schmidtkes?«

Hannes erwiderte: »Das trifft sie nicht. Hier, kannst du nicht lesen? Die Verordnung findet keine Anwendung

›auf den in einer Mischehe lebenden jüdischen Ehegatten, sofern Abkömmlinge aus der Ehe vorhanden sind.‹«

Frau Schmidtke brauchte also keinen zu tragen. Aber alle die andern ... Nachdem die Verordnung eine Weile später in Kraft getreten war, bemerkten wir überhaupt erst, wie viele Juden es in Berlin noch gab, auch bei uns in Lichtenrade. Der alte Mann und seine Frau aus der Raabestraße waren also doch Juden. Hannes hatte recht. Ich hatte mich früher öfter mit ihnen unterhalten. Sie besaßen einen Scotchterrier, der mir so gefiel. Eines Tages hatte ich sie dann ohne Hund getroffen. »Wo ist Mohrchen?« hatte ich gefragt.

Die Frau wurde unsicher, wollte etwas sagen. Da packte ihr Mann sie beim Arm und sagte: »Mohrchen ist gestorben.«

»Oh – woran?«

»Wir wissen es selber nicht«, erwiderte der Mann. »Vor ein paar Tagen lag er morgens tot in seinem Korb.«

»Das tut mir aber sehr leid«, sagte ich, »Mohrchen war so ein lustiger Hund.«

Die Frau fing an zu weinen. Ich konnte das verstehen, ich hätte auch geflennt, wenn mir ein Hund gestorben wäre.

»Ja, das war er«, erwiderte der Mann, und es klang sehr traurig. Dann gingen sie weiter.

Zu Hause erzählte ich Hannes davon. Er sagte: »Ich glaube nicht, daß er einfach so gestorben ist.«

»Wieso?«

»Wenn du die beiden Alten meinst, die ich meine, dann ist der Hund bestimmt keines natürlichen Todes gestorben. Die beiden sind nämlich Juden.«

»Na und? Was hat denn das mit Mohrchens Tod zu tun?« fragte ich.

»Weißt du denn nicht, daß Juden keine Haustiere mehr haben dürfen?«

Nein, ich wußte es nicht. »Und was wird mit den Tieren, die sie haben?«

»Was weiß ich ... Verschenken, verkaufen, vielleicht werden sie auch abgeholt.« Hannes schwieg.

»Aber man kann doch seinen Hund oder seine Katze nicht einfach weggeben.«

»Nein, das kann man eigentlich auch nicht«, erwiderte Hannes, »da hast du ganz recht. Und darum bringt man sie dann lieber um.«

Das war schrecklich. Ich wollte es einfach nicht glauben. Und darum sagte ich: »Vielleicht meinst du ja jemand ganz anderen als ich. Und die, die ich meine, sind gar keine Juden. Und Mohrchen ist wirklich von allein gestorben.«

»Vielleicht«, meinte Hannes gedehnt. Mehr nicht.

Als ich die beiden nun zum ersten Mal mit dem Judenstern auf mich zukommen sah, bekam ich einen furchtbaren Schreck. Denn ich dachte sofort an Mohrchen. Sie müssen mein Gesicht falsch gedeutet haben, denn sie gingen vorbei, als hätten wir nie miteinander geredet.

Auch drinnen in der Stadt sah man eine Menge Leute mit dem gelben Stern. Ich mußte jetzt öfter in die Stadt wegen einer Kieferbehandlung. Meistens legte ich die Fahrt so, daß ich Vater hinterher abholen konnte. Ein paarmal kam ich zu spät. Da war er schon weg. »Etwa schon seit einer halben Stunde«, sagte seine Sekretärin.«

»Aber es ist doch eigentlich noch Dienstzeit«, meinte ich.

»Ihr Vater geht in letzter Zeit öfter mal früher«, erwiderte sie.

Ich ließ mir meine Überraschung nicht anmerken. In letzter Zeit war Vater noch öfter als sonst spät nach Hause gekommen. Immer hatte er von Besprechungen oder viel Arbeit geredet.

Auch als ich diesmal nach Hause kam, war er noch

nicht da. Und eigentlich hätte er doch mindestens seit einer halben Stunde daheim sein müssen. Mutter fragte: »Warst du nicht bei Vater? Ich dachte, du bringst ihn mit.«

Ich wußte nicht, was ich sagen sollte. Aber da läutete das Telefon, und ich kam um eine Antwort herum. Ich verdrückte mich in mein Zimmer. Auch an diesem Abend kam Vater spät nach Hause. Er sah elend aus. Er sagte: »Ich hatte noch einige wichtige Sachen zu diktieren.« Und seine Sekretärin hatte zu mir gesagt, er wäre schon seit einer halben Stunde fort. Ich konnte ihn gar nicht angucken. Sollte ich Mutter etwas sagen? Aber sie war ohnedies oft so unruhig wegen Vater. Da hielt ich lieber den Mund.

Mit Hannes konnte man eher darüber reden. Aber der war im Augenblick nicht da. Er war in der Segelflugschule in Rhinow zu einem Kurs für den C-Schein. Heute morgen war wieder ein Brief gekommen, ein ganz belangloser, wie von einem x-beliebigen Flugschüler. Es war richtig, daß Hannes solche Briefe schrieb. Wer weiß, ob sie nicht geöffnet und gelesen wurden ». . . Fliegerisch habe ich bis jetzt keinen Mist gemacht. Ich habe jetzt siebzehn Starts, zwanzig brauche ich zur C. Schon vier Prüfungsflüge sind dabei, fünf muß ich haben. Es ist einfach wundervoll zu fliegen. Ich habe mich jetzt völlig auf das ›Baby‹ eingeflogen. Leider ist das Wetter nicht gut. Wir konnten heute nicht starten, weil die Wolken bis auf 50 Meter herunterhingen. Bei 250–300 Meter Höhe war ich zwar schon in der Waschküche, aber nur für kurze Zeit. Wenn morgen das Wetter wieder gut ist, daß wir fliegen können, kann ich meine C fertig machen. Einen Flug auf dem ›Kranich‹ werde ich wohl nicht mehr bekommen. Aber ich bin schon zufrieden, daß ich meine drei Kranich-Starts zur C voll habe.

Übrigens kommen wir wahrscheinlich schon am Freitag nach Hause. 15 Uhr 43 Lehrter Bahnhof. Da es aber nicht ganz sicher ist, komm nicht etwa in die Stadt, Hanna.«

Natürlich fuhr ich ihn abholen. Ich holte ihn meistens ab, wenn er von irgendeinem Lager oder Kurs zurückkam. Ist doch viel netter, wenn jemand am Bahnhof steht. Außerdem verstanden wir uns seit einiger Zeit sehr gut. Als wir noch jünger waren, hatten wir uns oft verkracht. Das taten wir jetzt kaum noch. War ich aber doch mal richtig wütend auf ihn, dann schaffte ich es heute meistens, mich zu beherrschen. Ich mußte immer denken: Wenn er eingezogen wird und weg ist, tut dir bestimmt jeder Krach noch nachträglich leid.

Der Zug hatte Verspätung. Aber Hannes und einige seiner Kameraden waren drin. Er war braungebrannt und ziemlich mager. Er stand am Zugfenster und winkte und lachte, als er mich entdeckte.

»Hast du's geschafft?« fragte ich als erstes.

»Klar, was denkst du denn.«

»Gratuliere! Dann hast du also den Luftfahrerschein für Segelflugzeugführer. Prima!«

Das war nämlich wichtig. So hatte er alle Chancen, zur Luftwaffe zu kommen, wenn er einberufen wurde.

»Nächstens mach ich noch so'n vormilitärischen Kurs für Bordfunker mit. Dann komme ich ganz bestimmt nicht zur Infanterie.«

Wir fuhren noch zum RLM, Vater abzuholen.

»Ich weiß aber nicht, ob er noch da ist«, sagte ich. »In letzter Zeit war das ein paarmal so komisch.«

»Komisch? Was war komisch?«

»Ich kam hin nach der Zahnklinik, da war er schon weg. Fräulein Karsch sagte, er ginge jetzt öfter früher weg. Als ich aber nach Hause kam, war er noch nicht da und kam erst sehr spät. Ich weiß nicht . . .«

»Was weißt du nicht?« fragte Hannes scharf.

»Nun – wenn er im RLM früh weggeht, aber erst sehr spät nach Hause kommt, wo ist er denn dann? Irgendwo muß er doch sein . . .«

»Und was hat sich meine kleine Schwester da so gedacht?« Das sollte ironisch klingen. Aber ich hörte, Hannes war beunruhigt, genauso wie ich.

»Ich weiß nicht«, erwiderte ich. Um meine Unsicherheit zu verbergen, fügte ich lachend hinzu: »Vielleicht geht er kegeln.«

»Kegeln?« Hannes lachte schallend. Dann, nach einem Augenblick: »Sicher wär's gut, wenn er kegeln ginge.«

»Wieso?«

»Das wär doch 'ne harmlose Sache.«

Ich begriff nicht sofort, was Hannes damit sagen wollte. Ich blieb stehen und sah ihn an. Er blickte mir fest in die Augen, sprach aber kein Wort. Seine Blicke wurden immer eindringlicher. Er wurde blaß unter seiner braunen Haut. Seine Pupillen wurden groß. Das waren die gleichen Augen, mit denen er Vater manchmal ansah. Da begriff ich, was er gemeint, aber nicht ausgesprochen hatte. Ich bekam einen furchtbaren Schrecken. »Du meinst . . .«

»Nichts meine ich«, unterbrach er mich, und seine Stimme flatterte, »ich meine gar nichts. Und du meinst auch gar nichts – verstanden? Hast du mich verstanden?!«

Ich konnte nur nicken.

»Dann ist es gut. Und nie wieder ein Wort davon – hörst du? Nie wieder!«

Ich nickte noch einmal. Wir sprachen tatsächlich nie wieder davon, bis dann die Katastrophe kam. Aber manchmal trafen sich unsere Blicke, und wir wußten beide, was der andere dachte. Es war gut, nicht alleine Angst haben zu müssen.

Wir erwischten Vater noch, und zu dritt fuhren wir nach Hause. Hannes erzählte viel von dem Kurs und der Fliegerei, und es war ihm ganz egal, daß so viele Leute zuhörten. Die U-Bahn war zu dieser Stunde immer sehr voll. Auch die Straßenbahn, Linie 99 nach Lichtenrade, war voll. Erst nach einigen Stationen wurde sie leerer, und Vater bekam einen Platz. Hannes und ich standen in der Mitte des Wagens bei der Tür.

In Marienfelde stieg ein Hauptmann zu, ein ziemlich junger Schnösel mit einem Haufen Orden auf der Brust. Er hielt nach einem Platz Ausschau, aber da war keiner. Er ging an Vater vorbei, und ich sah, wie er zögerte, ehe er die Hand grüßend an die Mütze hob. Vater hatte nämlich seinen Umhang an, und der Hauptmann war sich wohl nicht ganz klar, ob er nun zuerst grüßen sollte oder Vater. Sie taten es gleichzeitig. Er ging noch zwei Schritte weiter durch den Gang nach hinten und blieb dann plötzlich stehen. Etwas breitbeinig stand er da und stemmte die Hände in die Seiten. Sehr laut und mit blecherner Stimme sagte er: »Würden Sie die Güte haben, sich zu erheben und mich sitzen zu lassen?«

Alle Köpfe wandten sich nach hinten, auch Vater blickte über die Schulter zurück.

Eine alte Frau stand auf. Sie stützte sich auf einen Stock und versuchte, mit der freien Hand einen der Haltegriffe zu erreichen, die im Mittelgang des Wagens herabbaumelten. Doch sie war zu klein. Auf ihrer linken Brustseite leuchtete der gelbe Stern. Der Hauptmann setzte sich und lächelte.

Ich sah, wie meinem Vater das Blut in den Kopf schoß. Er stand auf. Hannes zuckte zusammen und machte einen Schritt nach hinten. Ich riß ihn am Ärmel zurück und zischte: »Bleib hier!« Mit drei, vier Schritten war Vater neben der alten Frau. »Bitte, setzen Sie sich!« sagte er und zeigte auf seinen leeren Platz. Die Frau blickte ihn an, scheu von unten wie ein ängstliches Tier. Sie wußte ganz offensichtlich nicht, was sie tun sollte. Da sagte Vater: »Gehn Sie nur!«

Das alles hatte sich in wenigen Sekunden abgespielt. Der dekorierte Hauptmann war dunkelrot geworden. Er sprang auf. Er war viel größer als Vater und sah nun mit seinem knallroten Gesicht von oben auf ihn herunter. Dann sagte er mit schneidender Stimme und noch lauter, als er vorher mit der alten Frau gesprochen hatte: »Sie! Was erlauben Sie sich! Sie ...«

Aber er kam nicht weiter. Schon als er aufgesprungen war, hatte Vater an dem Haken seines Umhangs genestelt. Nun hatte er das Kettchen geöffnet. Mit der Linken schlug er eine Seite des Umhangs zurück. Die geflochtenen Achselstücke mit zwei goldenen Sternen und die gelben Kragenspiegel mit den drei eichenlaubumrahmten Schwingen waren einen Augenblick zu sehen. Nur einen Augenblick. Der Hauptmann wurde blaß und sackte ein Stückchen zusammen. Er stotterte irgendwas, das wir nicht verstanden. Dann machte er eine hilflose Geste mit der Hand, als wolle er Vater seinen Platz anbieten.

»Verzichte!« sagte Vater, drehte sich um und kam durch den Gang auf uns zu. Er hatte sehr helle Augen wie immer, wenn er erregt war, sich aber nichts anmerken lassen wollte. Alle sahen ihm nach. Er stellte sich zu uns und sagte leise zu meinem Bruder: »Merk dir's, mein Junge, es kann sehr vorteilhaft sein, sich Sterne auf die Schulterstücke heften zu lassen.«

Ja, kürzlich war ein zweiter dazugekommen. Vater war zum Oberst befördert worden. Und nun ging es gewiß nicht mehr sehr lange, bis er weiße Streifen an den Hosen hatte.

Kartoffelernte Anfang Oktober. Hei – das waren Tage! Schöner als die Sommerferien in Deep. Und das wollte etwas heißen. Denn Kolberger Deep an der Ostsee war ein Paradies, wenigstens für uns Kinder. Ob es für unsere Mütter auch eins war, weiß ich nicht. Wir wohnten auf einem Bauernhof, und alles war sehr primitiv. Wasser vom Brunnen und nur ein Plumpsklosett mit Schwärmen von Fliegen. Aber das störte uns nicht. Wir wohnten bei Zieses und Rolands bei Ollhofs.

Schon vor dem Krieg waren wir öfter in Deep gewesen. Im Krieg reisten wir dann nur noch dorthin. Denn dort gab es vieles, was es in Berlin nicht mehr gab: für alte Gäste wie uns so viel Milch, wie wir wollten, hin und wieder sogar ein Stück Speck oder Schinken, Kartoffeln, Gemüse, Obst und ungestörte Nächte. Nicht einmal eine Sirene hatte das kleine Dorf.

Über Tag waren wir am Strand und in den Dünen. Gegen Abend ging ich immer früher als die anderen zurück und holte mit Rolli, dem Schäferhund, die Kühe von der Weide. In dicken Staubwolken zogen wir über die Sandwege ins Dorf. Die Kühe nickten mit den Köpfen, die vollen Euter schwankten hin und her, und Rolli umkreiste hechelnd die Herde. Krieg und Bombennächte waren weit, weit weg. Wahrscheinlich hätten wir vier Wochen lang überhaupt nicht daran gedacht, wenn wir alle beisammen gewesen wären. Aber das waren wir leider nicht. Unsere Väter konnten nicht weg. Erik fehlte natürlich auch, und Wolfgang mußte die zweite Hälfte der Ferien in ein Wehrertüchtigungslager. Er fluchte füchterlich, aber es half ihm nichts.

Doch dann im Herbst bei der Kartoffelernte in Lichtenrade waren wir alle noch einmal beisammen. Zum letzten Mal. Aber das wußten wir damals natürlich noch nicht. Unsere Väter hatten frei genommen, und Erik – ja, Erik war auch dabei. Eine Woche Urlaub, und er hatte sie gerade jetzt bekommen. Unsere Eltern und Erik fuhren schon morgens hinaus, wir andern gleich nach Schulschluß hinterher.

Eine milde Herbstsonne schien. Schon viele Tage hatte es nicht mehr geregnet. Der Boden war herrlich trocken. Er rieselte durch die Finger, wenn wir auf den Knien vorwärtsrutschend die Stauden loshackten. Bei dem lockeren Sandboden ließen sie sich dann einfach herausheben. Was für eine Menge Kartoffeln hingen dran! Und in dem Loch lagen auch noch welche, etliche tatsächlich kindskopfgroß, wie Onkel Oskar es vorausgesagt hatte. Auch das Einsammeln machte keine Mühe, weil keine Erde dran hängenblieb. Es waren Kartoffeln wie aus dem Bilderbuch.

Wir schütteten sie auf einen Haufen; der wurde immer größer. Unser Bauer hatte versprochen, sie uns nach Hause zu fahren, wenn wir sie alle draußen hätten. Das schafften wir natürlich nicht an einem Tag. Abends sagte Wolfgang: »Sollen wir sie hier einfach so liegenlassen die Nacht über? Wenn wir Pech haben, sind sie morgen früh weg.«

Erik meinte: »Wir müssen eben Wache schieben.«

»Und wer soll das tun, die ganze Nacht?« fragte Tante Lore.

Onkel Oskar hatte die beste Idee: »Wir holen das Zelt, und die Jungs schlafen draußen.«

»Und wir – dürfen wir auch?« fragte Ursula und hatte mir die Frage aus dem Mund genommen.

»Das Zelt ist zu klein, da haben nur dreie drin Platz«, entgegnete Wolfgang.

Ursula darauf: »Aber wir können ja zusammenrükken.«

»Nee, das wird zu eng. Allerhöchstens vier können rein.«

»Gut – eine von uns kann also noch draußen bleiben«, entgegnete Ursula.

Wir drei Mädchen sahen uns an. Allzu freundlich waren unsere Blicke sicherlich nicht. Tante Lore half das Problem lösen, wenigstens teilweise: »Lisabeth ist noch zu klein. Außerdem erkältet sie sich so leicht, und die Nächte sind schon sehr kühl.«

Lisabeth zog einen Flunsch und kämpfte mit den Tränen. Da beugte sich Onkel Oskar zu ihr hinunter und flüsterte ihr irgendwas ins Ohr, und der Flunsch war weg und Lisabeth strahlte.

Blieben also noch Ursula und ich. »Ihr könnt ja losen«, schlug Hannes vor.

»Einverstanden«, sagte Ursula. Ich war es auch sofort. Allerdings wußte Ursula nicht, warum.

Hannes machte zwei Stöckchen fertig und streckte sie uns entgegen. Wir tauschten nur einen kurzen Blick. Da wußte ich: der linke ist der längere. Wir losten nämlich bei allen möglichen und unmöglichen Gelegenheiten. Hielten Hannes oder ich dabei die Stöckchen und wußten wir, dem anderen lag ganz außerordentlich viel an der Sache, dann steckten wir das längste immer nach links. Das war zwar nicht fair, aber manchmal darf man der Erfüllung eines besonderen Wunsches vielleicht etwas nachhelfen. Und wie sehr ich wünschte, diese Nacht hier draußen bleiben zu dürfen, wußte Hannes. Er hatte längst gemerkt, daß Erik mir viel bedeutete. Schon öfter hatte er mich deswegen gehänselt und gesagt: »Na, bist du eigentlich sehr verliebt?«

Ich hatte dann meistens die Schultern gezuckt. Ich hätte wirklich nicht sagen können, ob ich verliebt war. Wir kannten uns alle von klein auf, und da ist's mit dem Verlieben ein bißchen anders, als wenn man sich erst später begegnet. Außerdem verhielt sich Erik wie ein Bruder zu mir, und das fördert ein Verliebtsein nicht unbedingt.

Rasch zog ich das linke Stöckchen und hatte natürlich das längere erwischt. Hannes sagte zu Ursula: »Du kannst ja morgen mit draußen schlafen. Wir werden bestimmt nicht so früh fertig, daß die Kartoffeln noch geholt werden können.« Das beruhigte mein etwas schlechtes Gewissen.

Die Nacht war sternklar. In Wolldecken eingemummelt hockten wir vor dem Zelt. Ein kleines Kartoffelfeuer brannte, es glühte mehr als daß es brannte. Es war ja verboten, Feuer zu machen während der Verdunkelungszeit. Hin und wieder schoben wir ein paar Kartoffeln in die Glut. Wenn ihre Schalen platzten, zogen wir sie mit Stöcken heraus und ließen sie etwas abkühlen. Dann aßen wir sie mitsamt der Schale. Nur etwas Salz streuten wir drauf.

»Das schmeckt besser als Braten«, meinte Wolfgang, und wir stimmten ihm zu.

Wir plauderten von diesem und jenem. Dann schwiegen wir und schauten in die Glut. Nach einer langen Weile sagte Erik in die Stille hinein: »Ich muß euch was sagen. Eigentlich wollte ich es für mich behalten. Aber ihr könnt doch dichthalten, nicht wahr?«

Wir nickten.

»Ich habe die paar Tage Urlaub nur gekriegt, weil wir nach Rußland kommen. Aber ich will auf keinen Fall, daß die andern es erfahren, so lange ich hier bin. Mutter weint dann nur, und der Abschied wird zu schwer. Sie erfahren's immer noch früh genug aus meinen Briefen.«

»Und wir dachten bestimmt, du kämst auf ein U-Boot«, sagte Wolfgang.

»Leider nein. Die brauchen uns im Osten wohl sehr nötig.«

»Kein Wunder«, meinte Hannes und schwieg.

Ja, im Osten ging's nicht mehr so schnell voran, wie die Herren es sich vorgestellt hatten. Immer öfter tauchten im Wehrmachtsbericht und in der Presse Formulierungen auf, die selbst überzeugte Nazis stutzig machen konnten. Da hieß es etwa: »In dreitägigem heißen Ringen ... Nach starkem Widerstand ... Stark ausgerüstete Panzerverbände des Feindes ... Unter Einsatz starker Panzerkräfte und zahlreicher schwerer Waffen neue feindliche Angriffe ...«

Zwar standen unsere Truppen vor Moskau und Leningrad, und Hitler hatte bei Eröffnung des Winterhilfswerks in Berlin verkündet, daß dieser Gegner bereits gebrochen sei und sich nie mehr erheben würde. Aber Vater hatte gesagt: »Mit der Einnahme Moskaus vor Winterbeginn wird es nichts mehr. Wir sind inzwischen im Schlamm steckengeblieben. Und Schnee ist auch schon gefallen.« Wie hart die Kämpfe waren, ließ sich auch aus den vielen Gefallenenanzeigen schließen, die tagtäglich in den Zeitungen in langen Kolonnen auftauchten. Und das war ja nur ein winziger Bruchteil. Und nun sollte Erik auch dorthin. Es kroch mir kalt den Rücken hoch. Ich schauderte.

»Frierst du?« fragte Hannes. Ich schüttelte den Kopf.

»Aber du zitterst ja.«

Daß man es mir immer gleich anmerken mußte, wenn ich Angst hatte! Den Jungen merkte man es nie an. Sie hatten eben doch recht: Ich war nur eine Mieke.

»Geh doch ins Zelt, wenn dir kalt ist«, meinte Erik.

»Mir ist aber nicht kalt. Ich hab nur so'n Schreck gekriegt – wegen Rußland.«

Erik darauf: »Das habe ich auch zuerst. Aber im Grunde ist's ja ganz egal, ob man in 'nem U-Boot hockt oder in 'nem Panzer. Wenn's einen erwischen soll, dann erwischt's einen doch. In 'nem U-Boot abzusaufen und genau zu wissen: noch ein bißchen tiefer und du bist Matsch oder erstickst, ist auch nicht gerade angenehm.« Er schwieg. Dann, nach einer Weile: »Aber vielleicht habe ich ja Glück und werde irgendwann zum Studium freigestellt. Schlimm ist nur, daß man für eine Sache kämpfen soll, an die man nicht glaubt. Die man haßt. Wir haben da ein paar ganz Fanatische. Die tun sich leichter. Wenn die im Dreck liegen, wissen sie wofür. Die reden mit Überzeugung von all dem Quark. Vom Einsatz ihres Lebens für Führer, Volk und Vaterland. Ich wünschte, ich könnte das auch. Dann wäre alles viel einfacher. Aber so . . .«

Er angelte mit dem Stock die letzten zwei Kartoffeln aus der Glut und schob sie mir zu. »Für dich, Hanna.«

»Ich mag nicht mehr.«

»Kannst du nicht mehr oder magst du nicht mehr?«

Ich zuckte die Schultern.

Erik sagte: »Es tut mir leid, daß ich euch den Abend verdorben habe.«

»Red doch nicht so'n Quatsch!« fiel ihm Hannes ins Wort. »Wenn wir nicht mal mehr offen miteinander sprechen könnten ...«

Eine Weile später krochen wir alle ins Zelt. Ich lag zwischen Wolfgang und Hannes. Erik legte sich quer vor den Eingang. »Da bin ich gleich draußen, wenn irgendwas ist«, meinte er.

Hannes und Wolfgang schliefen sofort ein. Ich hörte es an ihrem Atem. Ich konnte nicht schlafen. Auch Erik war unruhig. Er warf sich von einer Seite auf die andere. Nach einer Weile schlug er den Zelteingang zurück und kroch raus. Ich sah, wie er in der Glut herumstocherte. Vorsichtig richtete ich mich auf und packte meine Decke. Aber einer der beiden Schläfer lag wohl darauf. Ich hätte ihn aufgeweckt, wenn ich noch mehr gezogen hätte. So ließ ich sie liegen.

»Na, kannst du auch nicht schlafen?« fragte Erik. »Ist aber ziemlich kalt jetzt. Bring deine Decke mit.«

»Da liegt einer drauf.«

»Dann komm her«, erwiderte er. Ich setzte mich zu ihm. Er schlug die Decke um uns beide und legte seinen Arm um meine Schultern. »Wie warm du bist«, sagte ich.

Er zog mich noch ein bißchen näher zu sich heran. Ich lehnte meinen Kopf an seine Schulter. Schweigend blickten wir in die Glut. Hin und wieder strich er mir mit der Hand übers Haar. Wie lange wir so dasaßen, weiß ich nicht. Später, als ich doch müde wurde und gähnen mußte, bettete ich meinen Kopf in seinen Schoß. Er blickte mir in die Augen und lächelte. Im Einschlafen spürte ich, wie er seine Hand auf meine Stirn legte. Ich war sehr glücklich.

Alle Kartoffeln waren geerntet, ein großer Haufen. Der reichte bestimmt für uns alle, sogar für Oma und Opa. Und Saatkartoffeln fürs nächste Jahr blieben gewiß auch noch übrig. Wir warteten auf den Bauern, der nach Feierabend kommen wollte. Aber Feierabend war erst in zwei, drei Stunden.

»Tragt alles Kartoffelkraut zusammen«, rief Onkel Oskar, »wir machen ein Freudenfeuer auf die Rekordernte.«

In der Mitte des Ackers schichteten wir den Haufen auf. Der wurde riesig. Wir zündeten ihn gleich an, damit er bis zur Dämmerung heruntergebrannt wäre. Prasselnd schlugen die Flammen empor. Haushoch. So ein großes Feuer hatte ich noch nie gesehn. Nicht einmal, wenn wir mit dem BDM auf Fahrt waren. Und da wurden recht stattliche Lagerfeuer angezündet. »Was für ein Feuer! Was für ein Feuer!« rief Lisabeth immerzu und fing an drumrumzuhopsen.

»Was meinst du, was wir erst für ein Freudenfeuer machen, wenn der Krieg aus ist!« rief Vater, griff Tante Lore um die Hüften und hüpfte mit ihr ums Feuer, einmal links herum, einmal rechts herum. Wir schlossen uns an. Onkel Oskar mit meiner Mutter, Hannes und Ursula, Erik und ich. Erik lachte. Die Locken klebten ihm auf der Stirn. Später, als das Feuer heruntergebrannt war und nur noch flackerte, sprangen die Jungen durch die Flammen. Onkel Oskar tat's ihnen nach. Aber Vater meinte: »Dazu bin ich nicht unbedingt gemacht.«

Auch unsere Mütter trauten sich nicht, ebensowenig wie wir Mädchen. Erik aber kam auf mich zu, nahm mich bei der Hand und rief: »Komm, zusammen schaffen wir's!« Er war groß und stark wie sein Vater. Schon beim Anlauf griff er mir unter die Arme, und wir flogen durch die Flammen, und alle klatschten. Mutter lächelte. Sie wußte sicher, wie froh ich war.

Dann kam der Bauer, und wir schaufelten die Kartoffeln in den Kastenwagen. Sie waren natürlich nicht alle auf einmal fortzuschaffen. Die erste Fuhre ging zu Rolands. Bei Einbruch der Dunkelheit hatten wir den

Wagen zum zweiten Mal voll. »Darf ich mein Rad obendrauf tun und mitfahren?« fragte ich. Der Bauer nickte. Er wußte, daß es mir nicht darum ging, nach Hause transportiert zu werden, sondern auf einem Pferdewagen zu fahren.

Ich war ein Pferdenarr. »Mit vierzehn darfst du reiten lernen«, hatte Vater mir versprochen. Aber dann war der Krieg dazwischen gekommen, und mit dem Reiten wurde es nichts. Auf dem Bauernhof in Deep hatte ich hin und wieder am Abend Marlen und Dolma auf die Weide geritten. Ohne Sattel und nur im Schritt die Sandwege entlang. Das war natürlich kein Reiten. Aber irgendwann würde ich es bestimmt noch lernen.

Nun also saß ich vorne auf dem Wagen neben dem Bauern. Er gab mir die Zügel, und ich durfte Lotte nach Hause lenken. Lotte war ein schweres Pferd. Gemächlich trottete sie dahin und hätte bestimmt auch alleine den Weg nach Hause gefunden. Nur einmal, als wir die Straßenbahnschienen kreuzten, mußten wir anhalten.

Als ich kurz vor Beginn der Weihnachtsferien mittags aus der Schule nach Hause kam, fragte Mutter: »War Ruth heute in der Schule?«

»Nein. Wieso?«

Nun fing sie an zu weinen. »In der Schillerstraße ... vor Schmidtkes Eingang ... haben sie ... haben sie ...« Vor Schluchzen konnte sie nicht weitersprechen.

»Was haben sie ... Was ist los?«

»... haben sie einen Galgen aufgestellt.«

Mein Herz stockte. Mein Magen schien sich aufzublähen. Das war immer so, wenn ich einen fürchterlichen Schrecken bekam. »Einen Galgen? Wer hat ihn aufgestellt?«

Mutter zuckte die Schultern. »Niemand weiß es.«

Ich stürzte davon. Die Schillerstraße war ausgestorben. Kein Mensch weit und breit. Unter einem Ahorn vor Schmidtkes Gartenpforte der Galgen. In die Erde gerammt ein roh behauener Balken, eine Querlatte darangenagelt. Auf der Latte in roter Farbe: »Für die Jüdin.« Die Farbe war zu dick aufgetragen und verschmiert, rot verschmiert. Ich starrte auf die Worte.

Durch die Stäbe der Gartenpforte konnte man einen Teil des Gartens und ein Stückchen vom Haus sehen. Niemand war da. Aber die Fensterläden waren offen. Ich rannte nach Hause. »Soll ich – soll ich mal durch den Zaun kriechen?« fragte ich Mutter.

»Laß es bleiben, wenigstens heute noch. Nach diesem Schock müssen sie erst wieder zu sich kommen.«

Auch am nächsten Tag fehlte Ruth in der Schule. Ich hielt es nicht aus und schwänzte die beiden letzten Stunden. Als ich nach Hause kam, lag Mutter auf der Couch im Schlafzimmer. Sie hatte ein feuchtes Tuch über Stirn und Augen gelegt wie immer, wenn sie Migräne hatte. Sie fuhr hoch, als ich eintrat. Sie hatte offensichtlich noch nicht mit mir gerechnet. Ihre Augen waren vom Weinen gerötet. »Kind, Kind, Hanna«, sagte sie, breitete die Arme aus und zog mich zu sich auf die Couch. »Es ist furchtbar.«

Ich starrte sie an, brachte aber kein Wort heraus.

»Sie haben sich alle umgebracht.«

»Nein!«

». . . mit Tabletten.«

Ich bekam keine Luft mehr, stand auf und trat ans Fenster. Stockend erzählte Mutter: »Als sich auch heute früh niemand rührte, haben Loewes' die Polizei benachrichtigt. Die Türen wurden aufgebrochen. Frau Loewes sagte, sie hätten alle beisammen gelegen, im Wohnzimmer . . . wie schlafend . . . ganz friedlich . . .«

Draußen vor dem Fenster auf dem Apfelbaum saß eine Amsel. Sie hatte sich aufgeplustert, wegen der Kälte, ein kleiner schwarzer Ball. Sie schlief, ganz friedlich. Friedlich, friedlich, friedlich fuhr es mir immerzu durch den Kopf.

Einmal hatte ich Ruth während einer Krankheit besucht. Als ich in ihr Zimmer getreten war, hatte sie so tief geschlafen, daß sie gar nicht aufgewacht war. Ich hatte eine Weile an ihrem Bett gesessen. Ihre schwarzen Zöpfe hatten auf der Bettdecke gelegen, eine Hand hatte heruntergehangen, eine schmale Hand. Und was für lange Wimpern! Das sah man erst, wenn sie die Augen geschlossen hielt. Ich war wieder gegangen, noch ehe sie aufgewacht war.

Nun wachte sie nie mehr auf. Meine Augen brannten, aber es kamen keine Tränen. Ich drehte mich um. Mutter hatte sich wieder hingelegt und das Tuch über Stirn und Augen gezogen.

»Weißt du . . . weißt du, wann sie beerdigt werden?«

»Nein. Nicht einmal, wo. Auch Frau Loewes hat es nicht herausbekommen.«

Nach dem Mittagessen lief ich wieder in die Schillerstraße. Vor der Gartenpforte gingen zwei Männer auf und ab. Der eine war unser Blockwart. Den andern kannte ich nicht. Die Haustür stand offen. Ich ging vorüber, als wäre mir das alles ganz gleichgültig.

Als ich nach Hause kam, traf ich vor unserer Tür mit dem Briefträger zusammen. Er hatte etliche Briefe für uns. Ich nahm sie ihm ab und sah sie durch, während ich auf die Haustür zuging. Ich wartete auf Post von Erik. Er hatte mir noch nicht geschrieben. Auch seine Eltern bekamen nur sehr selten Post. Doch ließ er mich immer eigens grüßen, und das war ja schon viel. Er steckte wohl mitten im Schlamassel vor Leningrad. Da kam er natürlich kaum zum Schreiben.

Der letzte Brief war an mich adressiert. Ich kannte die Handschrift, wußte im Augenblick aber nicht wem sie gehörte. Ich drehte ihn um. Kein Absender. Als ich ihn wieder wendete, las ich auf dem Poststempel: Berlin-Lichtenrade. Da durchfuhr es mich wie ein Schlag. Natürlich, das war Ruths Schrift! Ich zitterte so, daß ich den Schlüssel kaum ins Schloß brachte. Mutter war einkaufen gegangen, Hannes kam erst abends nach Hause. Ich legte den Brief auf den Tisch in der Diele. Ich wollte auf Mutter warten.

Da lag er. Wie irgendein ganz gewöhnlicher Brief lag er da. Weder der Postbote, der ihn mir gegeben, noch der Beamte, der ihn gestempelt hatte, wußten, was das für ein Brief war. Ich nahm ihn in die Hand. Er war dünn. Höchstens ein Blatt steckte in dem Umschlag. »Fräulein Hanna Singelmann, Berlin-Lichtenrade, Uhlandstraße 41a.« Ich fror. Und dabei war es doch so schön warm in der Diele. Ich fror so, daß mir die Zähne klapperten.

Da riß ich den Umschlag auf. Ein zusammengefaltetes Blatt steckte darinnen.

Liebe Hanna.

Wenn Du dies in Händen hältst, bin ich tot. Dies zu wissen, macht mir keine Furcht mehr, jetzt nicht mehr. Meine Eltern haben oft mit uns darüber gesprochen. Es mußte so kommen. Wir haben mit vielem gerechnet, allerdings mit ganz anderem und auch noch nicht jetzt. Aber was ist ein halbes Jahr? Was ist ein Jahr? Wenn man mit dem Tode lebt, zählen Tage nicht mehr.

Ich möchte Dir danken, Dir und Deinen Eltern für alles, was Ihr für uns getan habt. Ich sehe Dich, wie Du den Kopf schüttelst. Das tatest Du immer, wenn ich Dir danken wollte. Aber Du weißt gar nicht, kannst nicht wissen, was Ihr und ein paar andere meiner Mutter und damit uns allen bedeutet habt. Meine Eltern schreiben auch gerade noch einige Briefe.

Später, wenn es dunkel ist, bringe ich sie zum Kasten Ecke Lessingstraße. Da komme ich auch an Eurem Haus vorbei. Vielleicht brennt in Deinem Zimmer Licht. Man kann es durch die Ritzen in den Fensterläden sehen.

Sei nicht traurig, Hanna. Du mußt denken, für uns wäre alles immer nur noch schlimmer geworden. So gibt es keine Qual mehr. Wir werden zusammen einschlafen. Mein Vater hat seit langem dafür vorgesorgt.

Mein letzter Wunsch für Dich und alle, die Du liebhast: Ihr möget die schrecklichen Jahre überstehen und später einmal ruhig und in Frieden leben dürfen.

Ruth

Daß sie mir noch geschrieben hatte ... Daß sie überhaupt noch hatte schreiben können ... Ihre Schrift – gleichmäßig wie auf einer Schönschreibvorlage. Und dabei wußte sie, daß sie ein paar Stunden später tot wäre. Wie das wohl ist: sterben müssen, ohne krank zu sein, freiwillig und doch gezwungen? Ob ich das auch gekonnt hätte: mich hinsetzen und schreiben und dabei wissen, dies ist der letzte Brief, den man schreibt? – Und dann war sie unten vorbeigegangen. Vielleicht gerade gestern zu dieser Stunde und hatte zu meinem Fenster hinaufgeschaut. Sicherlich hatte Licht durch die Ritzen geschienen, denn ich hatte erst spät mit den Schularbeiten begonnen. Und hatte nicht geahnt, daß Ruth unten vorbeiging mit einem Brief für mich. Ruth, die eigentlich da schon tot war.

Es wurde ein trauriges Weihnachten. Wir waren bedrückt, wegen Schmidtkes und überhaupt. Tante Lore machte sich viel Sorgen wegen Erik. Nach dem Aufruf Hitlers zur Woll- und Pelzsachensammlung hatte sie telefoniert und vor Aufregung kaum sprechen können: »Jetzt, Ende Dezember, fällt's ihnen ein, Winterzeug für die Soldaten sammeln zu lassen? Was soll das heißen? Seit drei Monaten ist Winter in Rußland. Hat das denn niemand von denen da bedacht? Müssen denn die Soldaten auch noch frieren zu allem hin?«

Ja, das mußten sie offensichtlich. Denn wenn Hitler schon einmal rausließ, daß es mit der Winterausrüstung hapere, und »jeder Soldat um vieles mehr verdiene«, dann sah es bestimmt schlecht aus. Und nicht nur mit der Winterbekleidung. Vor ein paar Tagen hatte der Führer Generalfeldmarschall von Brauchitsch abgesetzt und sich selbst zum Oberbefehlshaber des Heeres gemacht. Und das hatte er natürlich nicht getan, weil es vorwärts ging auf den Kriegsschauplätzen. Im Gegenteil. Die Russen griffen überall an und drängten die deutsche Front zurück. Auch in Nordafrika wurde nicht mehr gesiegt. Und dann hatten wir nun auch noch Amerika den Krieg erklärt. Als ob wir nicht schon genug Gegner gehabt hätten! Und in einigen Tagen begann das dritte Kriegsjahr.

Zum Jahreswechsel gab es noch eine Freude für mich. Etwas Besseres hätte das endende Jahr nicht bringen können: einen Brief von Erik. Zwei Blätter von diesem schlechten, gelblichen Feldpostpapier, mit Bleistift bekritzelt. Er erzählte nur wenig von da draußen und dieses wenige las sich nicht wie der Bericht von einem Kriegsschauplatz, sondern wie die Schilderung einer großartigen Winterlandschaft. Nichts von Kälte, Hunger oder Gefahr. Und dann die letzten zwei Seiten. Je weiter ich las, um so mehr Herzklopfen bekam ich: »Manchmal, wenn es ruhig ist ringsum, dann gibt es vor dem Einschlafen einen Zustand, wo ich gar nicht hier bin, sondern dort. Dort heißt nicht zu Hause, auch nicht eigentlich bei Dir, sondern noch am ehesten auf unserem Feld. Und das Feld – das sind nicht die anderen, das bist Du. Vielleicht denke ich so oft an die Nacht vor dem Zelt, weil es die letzte Nacht war, in der ich ein Gefühl hatte für mich und für das, was man aus seinem Leben machen könnte. Nichts Lautes. Nur ein ganz kleines Kartoffelfeuer – verstehst Du? Kein lodernder Haufen. So ein Häufchen Glut, an dem man nicht friert. Denn man kann ja nicht einfach aufstehn und sich Bewegung verschaffen, wenn man in seinem Schoß den Kopf eines schlafenden Mädchens hält. Ich fühle noch immer Deine Stirn unter meiner Hand. Du hast sehr tief geschlafen damals. Du hast nicht bemerkt, wie ich Dich geküßt habe. Eigentlich wollte ich es Dir noch sagen vor der Abfahrt. Aber da waren immer die anderen dabei, und man kann ja nicht einfach so schnell einmal sagen: ›Du, ich habe Dich geküßt.‹ Nun habe ich es Dir jetzt gesagt. Schon zum dritten Mal. Du wunderst Dich? Zum dritten Mal? Ja, dies ist der dritte Brief, den ich Dir schreibe. Die anderen beiden habe ich zerrissen. Vielleicht zerreiße ich diesen auch morgen früh, wenn es Tag wird und das alles hier wieder beginnt, was so gar nichts mit einem Kartoffelfeuer zu tun hat. Da versteht man dann plötzlich seine eigenen Briefe vom Abend vorher nicht mehr. Aber vielleicht schicke ich ihn auch ab, und vielleicht freust Du Dich dann. Laß es mich wissen, ob Du Dich freust, ja? Denn wenn Du es tust, dann freuen wir uns beide auf meinen Urlaub, den ich bestimmt irgendwann im nächsten Jahr bekomme. Und dann sollen die anderen ruhig sehen, wie ich Dich küsse. So wie jetzt. Erik.«

Noch an diesem Abend schrieb ich meinen ersten Liebesbrief. Es war ganz richtig, daß es Alarm gab und geschossen wurde. Hatte Erik denn nicht auch seinen Brief geschrieben, während er gleichzeitig lauschte, ob irgendwo geschossen würde?

1. Juni 1942. Der Tag hatte sich angelassen wie zahllose andere. Vormittags fünf Stunden Schule nach einer Alarmnacht. Also unausgeschlafen. Inzwischen blieben nämlich auch wir nicht mehr im Bett, sondern gingen in den Keller. Die Tommys hatten ihre Angriffe verstärkt. Westdeutschland, das Ruhrgebiet – das war schon nichts Besonderes mehr. Aber Ende März hatten sie Lübeck eingedeckt. Die ganze Innenstadt war draufgegangen. Es wurde von mehreren hundert Toten und fast tausend Verletzten gesprochen. Hamburg war auch alle Augenblicke dran, allerdings noch keine Flächenangriffe, jetzt noch nicht. Dann hatte Rostock dran glauben müssen.

Auch hier die Altstadt. Ein Haufen Tote und Schwerverletzte. Und gestern nacht Köln. Ein Riesenangriff. Der größte, den sie bisher geflogen hatten. Viele hundert Bomber und wieder das Wohngebiet der Innenstadt. Tote, Verwundete und -zig, zigtausend Obdachlose. Wenn das so weiterging . . .

Aber jetzt saß ich über den Schularbeiten. Eigentlich hätte ich lieber geschlafen, aber dann wäre ich wieder nicht fertig geworden, und für Mathematik brauchte ich immer schrecklich lange. Mathematik war mir verhaßt, war auch mein schwächstes Fach. Ich konnte den Lehrer nicht leiden. Und so etwas beruht ja meistens auf Gegenseitigkeit. Der Kerl war einfach ein Widerling. Schon ziemlich alt. Ohne Krieg wäre er bestimmt längst pensioniert gewesen. Wie er immer glotzte, wenn er ein Mädchen an die Tafel gehen und eine Aufgabe lösen ließ! Besonders, wenn die Tafel noch leer war und man ganz oben zu schreiben anfangen und sich dabei recken und auf die Zehenspitzen stellen mußte. Dann fielen ihm die Augen fast aus dem Kopf, und er konnte gar nicht mehr richtig aufpassen, was da eigentlich an der Tafel geschah. Manchmal bemerkte er nicht einmal, wenn Fehler gemacht wurden. Erst wenn die Klasse unruhig wurde, fuhr er zusammen und stotterte herum, bis er wieder ganz da war.

Einmal hatte ich ihn bei so einer Gafferei immerzu fixiert. Hinterher hatte ich unverhohlen gegrinst. Das hatte er mir wohl nie verziehen. Seither schikanierte er mich, wo er konnte. Und da es eben um Mathematik ging, konnte er es leider ziemlich oft. Hatte irgendeine Klassenkameradin sich an der Tafel festgefahren, pflegte er ironisch spitz zu sagen: »Na, Hanna, ist das Problemchen nicht gerade recht für dich?« Dann mußte ich ran, und er wußte natürlich schon vorher genau, daß ich es bestimmt nicht lösen konnte. Und so ging es in der Mathematik mit mir abwärts. Früher hatte ich mal eine Zwei gehabt. Aber das war schon sehr lange her. Dann blieb es für eine ziemliche Weile eine Drei. Aber da hatten wir noch einen anderen Lehrer, bei dem ich gerne arbeitete. Inzwischen war es ein Vierer, und der wackelte sogar erheblich. Und wenn ich nicht in den Sprachen so gut gewesen wäre und also genug Ausgleich gehabt hätte, dann hätte ich tatsächlich noch Nachhilfestunden gebraucht. Hannes weigerte sich nämlich hartnäckig, mir zu helfen. »Dir fehlen einfach die Hirnwindungen für Mathe, und da ist alle Mühe umsonst.« Und Vater war viel zu ungeduldig, um mit mir zu arbeiten. Also murkste ich rum, mehr schlecht als recht.

So wie auch jetzt wieder. Aufstellen einer Funktionsgleichung. Die Funktion war nur in zweiter Ableitung bekannt, dazu ein Punkt der dazugehörigen Kurve und ihre Steigung an diesem Punkt. Wenigstens gab es noch etwas zu zeichnen. Aber um die Kurve zeichnen zu können, mußte man erst die Gleichung haben. Und nun läutete auch noch das Telefon. Ich war allein im Haus und mußte es abnehmen. Mist! Hinterher war ich bestimmt ganz raus und mußte wieder von vorne anfangen. Soll's läuten. Das tat es auch. Hartnäckig. Dann wurde es stumm. Ich rechnete.

Da – schon wieder dieses verdammte Klingeln. Nun gerade nicht! Elfmal schrillte es, bis es still wurde. Als ich nach einer Weile gerade anfing zu ahnen, wie die Kurve wohl verlaufen würde, läutete es erneut. Nun, dann war es wohl wirklich dringend. Ich lief die Treppe hinunter. Unser Telefon stand in der Diele in dem Winkel der Treppenbiegung auf einem Brettchen. Kam ich von oben runter, griff ich meistens übers Geländer nach dem Hörer und setzte mich auf eine Stufe, noch ehe ich mich meldete. So auch jetzt. »Singelmann.«

Keine Antwort.

»Hallo – hier Singelmann. Wer ist dort?«

Statt einer Antwort ein Schluchzen. Dann: »Hanna, bist du's?«

Abgerissen die Worte, kaum zu verstehen. Aber . . .

das . . . das war ja Tante Lore . . . Mein Herz fing rasend zu hämmern an. »Ja – Tante Lore?«

»Erik . . . ist . . . gefallen . . .«

»Tante Lore!« Ein Klicken in der Leitung. Tante Lore hatte eingehängt.

Der Hörer glitt mir aus der Hand, fiel auf die Treppe. Die Stufe, auf der ich saß, drehte sich, sauste abwärts in rasender Geschwindigkeit. Ich klammerte mich am Geländer fest. Erik ist tot. Dann wurde mir schwarz vor Augen.

Von sehr weit her hörte ich Hannes rufen: »Hanna! Hanna!« Irgend etwas Nasses fuhr mir durchs Gesicht. Ich schlug die Augen auf. Hannes hockte neben mir am Fuß der Treppe und rieb mit einem nassen Waschlappen mein Gesicht.

»Hanna – was ist denn los? Ich hab vielleicht einen Schreck gekriegt! Liegst da auf dem Fußboden und das Telefon . . .«

»Erik ist gefallen!«

Eigentlich war es ein schöner Sommer. Viel Sonne und ständig blauer Himmel. Man hätte immerzu baden fahren können, nach Mahlow oder zum Rangsdorfer See. Aber für uns war der Sommer grau. Wir dachten nicht an Baden, dachten auch nicht an die Ferien, obgleich sie vor der Tür standen. Hätten wir etwa nach Deep fahren sollen? Am gleichen Strand sein, in den Dünen liegen und durch den Kiefernwald heimlaufen, an all den Plätzen vorbei, an denen man immerzu an Erik denken mußte? Aber wo dachte man nicht an ihn?

Am schlimmsten war es auf dem Feld. Wenigstens für mich. Für die andern war's sicherlich zu Hause noch schlimmer. Ursula sagte, daß Tante Lore Eriks Zimmer nicht mehr betrat. Erik war ihr das liebste ihrer vier Kinder gewesen. Sie hatte das zwar nie so gezeigt, aber wir wußten es. Das ist wohl oft so bei ältesten Söhnen. Außerdem war er unter den vieren der Begabteste und hatte so gut ausgesehen.

Wenn wir bei Rolands waren, nach der Feldarbeit oder sonst irgendwann, schlich ich mich meistens für ein Weilchen in Eriks Zimmer. Sicher merkten es die andern, aber niemand sagte etwas. Es war nur ein kleines Stübchen, ausgebaut unter dem Dach. Früher hatte Erik mit Wolfgang zusammen gehaust. Aber als er dann älter geworden war und es aufs Abitur zuging, hatte Onkel Oskar ein Stück vom Dachstuhl ausbauen lassen. Schrägwände, zwei Dachluken als Fenster. Unter den Luken sein Arbeitstisch mit einem Schaukelstuhl davor. Der war uralt und stammte von seinem Großvater. Nicht so ein moderner Schaukelstuhl, mit dem man nur ein bißchen wippen kann, sondern einer mit schneckenförmig gebogenen Kufen. Man konnte sich mächtig drin hin- und herschaukeln. Und wenn man zu viel Schwung hatte, kippte man hintenüber. Neben dem Arbeitstisch Eriks Bett, eine schmale harte Liege. Dann ein rundes Tischchen mit drei Korbsesseln, dahinter Bücher. Viel Naturwissenschaftliches. Erik hatte Medizin studieren wollen. Und eine Menge Kunsthistorisches mit schönen Fotos.

Kunstgeschichte und Archäologie waren Eriks Hobby gewesen, und in den Berliner Museen hatte er sich bestens ausgekannt. In seinem letzten Brief hatte er geschrieben: »Wenn ich Urlaub habe, gehe ich mit Dir in die Museen. Das Beste ist jetzt zwar ausgelagert, aber es gibt noch immer genug zu sehen. Du mußt das alles kennenlernen. Und wenn der Krieg aus ist, reisen wir nach Italien. Und Sizilien. Du weißt ja, Vater hat mir die Reise zum Abi geschenkt. Wenn wir in Jugendherbergen schlafen, wird's nicht so teuer. Außerdem kannst Du ja auch drauf sparen. Und meinen Sold brauche ich nicht hier draußen. Das gibt dann einen schönen Batzen dazu. Syrakus, Agrigent, Selinunt, Segest. Ich glaube, Segest ist landschaftlich am großartigsten. Guck Dir die Bilder in meinem Zimmer mal genau an.«

Die Fotos waren mit Reißzwecken über Eriks Bett gepinnt. Eine Aufnahme aus der Ferne: Eine karge Landschaft ohne Bäume, auf einem sanft ansteigenden Hügel der Tempel, von der Seite gesehen, nur der Säulenumlauf, keine Cella. Dahinter Felswand. Und dann die Ansicht von vorne, schräg von unten aufgenommen. Riesige Agaven und Ginster. Daraus emporwachsend sechs mächtige Säulen mit dem Fries. Die Säulen nicht kanneliert, sondern wuchtig und schwer wie der Fels. Gerade dieses Foto hatte ich so oft angeschaut, seit Erik von der Italienreise geschrieben hatte, daß ich es mit geschlossenen Augen jederzeit heraufbeschwören konnte. Einmal hatte ich sogar Erik an eine Säule gelehnt gesehen, ganz deutlich. Wir standen bei dem Tempel, es war glühend heiß. Aber da war Erik noch nicht tot, und ich konnte von einer Reise nach Italien träumen. Jetzt aber verschwammen Agaven und Säulen hinter dem Tränenschleier.

Eines Tages faßte ich mir ein Herz und fragte Tante Lore, was ich sie schon ein paarmal hatte fragen wollen: »Ich habe einen großen Wunsch, Tante Lore. Aber ich spreche ihn nur aus, wenn ich sicher weiß, du sagst nein, wenn du ihn mir nicht erfüllen kannst.«

»Das tue ich bestimmt, Hanna.«

»Schenk mir das Foto von dem Tempel in Segest!«

Mit ihren traurigen Augen sah Tante Lore mich lange an und nickte nur.

Ich ging zum Glaser, um es rahmen zu lassen. Aber der hatte natürlich weder Glas noch Rahmen. Erst als Vater mir seine Raucherkarte schenkte und Mutter ein Stück Käse dazutat, gab es plötzlich Glas und Rahmen. Nun hing der Tempel über meinem Bett. Wahrscheinlich hinge er auch jetzt noch irgendwo, wenn er nicht von der Luftmine mitsamt der Wand in die Tiefe gerissen worden wäre.

Als die großen Ferien da waren, brauchten wir uns gar keine Gedanken mehr zu machen, ob wir nicht vielleicht doch irgendwohin verreisen sollten, um mal wieder ungestört schlafen zu können. BDM und HJ wurden zum Ernteeinsatz kommandiert. Ich konnte mich unmöglich drücken, denn ich war inzwischen zur Mädelscharführerin aufgerückt. Es hatte mir zwar schon elend gestunken, als ich zur Schaftführerin gemacht worden war, aber Vater hatte sehr entschieden gesagt: »Da gibt es gar nichts zu maulen. Du wirst das Beste daraus machen, hörst du?«

Warum er bloß immer so hartnäckig darauf bestand, daß wir den HJ-Dienst so pünktlich mitmachten . . .

Hannes kam um den Ernteeinsatz herum. Er hatte sich freiwillig zu einem Bordfunkerlehrgang gemeldet. Ich kam mit zehn anderen Mädchen auf ein Gut nach Mecklenburg. In meinem Gepäck steckte Goethes Italienische Reise.

Kartoffelerntezeit. Warum nur hatten wir dieses verdammte Feld gepachtet! Ich haßte es – nein, fürchtete es mehr als daß ich es haßte. Und warum nur hatte Erik im vergangenen Jahr gerade zur Erntezeit Urlaub bekommen? Hätte er nicht etwas eher da sein können oder auch etwas später? Dann hätte man jetzt Kartoffeln gehackt als lästige, aber notwendige Pflicht, eben weil man welche brauchte. So aber war es für uns alle quälend. Denn wir dachten natürlich nur daran, wie es im vergangenen Jahr gewesen war.

Zwar sprachen wir nicht davon, aber wenn sich zufällig unsere Blicke trafen, fühlte man, daß auch der andere dachte: Hier hat Erik voriges Jahr gehackt. Oder: Im letzten Jahr war es längst nicht so mühsam.

Außerdem ging es Vater schlecht. Er war überreizt und nervös. Und dabei hatte ihm die Arbeit auf dem Feld sonst immer so gut getan. Die dunklen Schatten unter seinen Augen gingen gar nicht mehr weg. Irgend etwas Undurchsichtiges war im RLM geschehen, das ihn offensichtlich sehr beschäftigte. Er sprach allerdings kaum davon. Ende August – oder war es Anfang September gewesen? – war er abends einmal ziemlich erregt nach Hause gekommen. Zunächst war er bemüht gewesen, es nicht merken zu lassen. Aber während des Essens war ihm dann ganz unvermittelt herausgefahren: »Behrens ist verschwunden!«

Wir kannten Oberleutnant Behrens flüchtig. Er war ein paarmal bei uns in Lichtenrade gewesen. Ein schmalgesichtiger blonder Mann um die Dreißig. Auch im RLM war ich ihm hin und wieder begegnet. Er gehörte zwar nicht zur Abteilung meines Vaters, hatte aber wohl öfter mit ihm zu tun.

»Verschwunden?« fragte Mutter.

Ich sah, wie Hannes meinen Vater aufmerksam anblickte. »Ja, er ist weg. Schon seit vier Tagen. Angeblich auf einer Auslandsdienstreise in geheimer Mission.«

»Angeblich?« fragte Mutter gedehnt und zog die Brauen hoch. Hannes und ich schauten einander an. Ich schlug die Augen sofort nieder. Denn Hannes sah mich an wie damals, als ich ihn nach seinem Kurs am Lehrter Bahnhof abgeholt und wir über Vater gesprochen hatten, der abends so häufig nicht mehr im Ministerium gewesen, aber trotzdem erst sehr spät nach Hause gekommen war. Und ich hörte ihn plötzlich wieder sagen: »Nie wieder ein Wort davon! Nie wieder!«

»Die ganze Sache ist höchst mysteriös«, sagte Vater und scharrte mit den Füßen. »Denn seit gestern sind auch drei seiner engsten Mitarbeiter verschwunden. Ich habe mehrmals versucht, seine Frau telefonisch zu erreichen – niemand hebt ab.«

Er stand unvermittelt auf, obgleich sein Teller noch halb voll war und ging zum Telefon. Wir hörten ihn wählen. Aber es meldete sich wohl niemand, denn er kam gleich darauf zurück.

An diesem Abend sagte er kein Wort mehr über die Sache, sondern fing von ganz anderem zu reden an. Hannes stocherte in seinem Teller herum, er schien die Bissen hinunterzuwürgen. Auch ich hatte Mühe, weiter zu essen. Nur Mutter tat sorglos. Lebhafter als es eigentlich ihre Art war, ging sie auf alles ein, was Vater erzählte. Mir war nicht ganz klar, ob sie wirklich so sorglos war oder nur so tat. Erst sehr viel später merkte ich, daß sie damals richtig geschauspielert hatte. Sie hatte sich fortan überhaupt erstaunlich in der Hand. Wenn es darauf ankam, spielte sie die harmlose, völlig naive Frau. Niemand merkte, was sie dachte, wußte oder auch nur ahnte.

Noch einmal gegen Ende September sprach Vater kurz von der Angelegenheit. Mutter hatte ihn gefragt: »Ist Behrens inzwischen eigentlich zurück?«

»Nein. Er wird auch vorläufig nicht zurückerwartet. Er und einige seiner Leute sind zu einer anderen Dienststelle abkommandiert worden.«

»Hast du Kontakt mit ihm?«

»Nein. Sein Aufenthaltsort wird geheimgehalten.«

»Und seine Frau?«

»Ich habe noch zweimal vergeblich versucht, sie zu erreichen. Sie wird verreist sein.«

Das hörte sich fast wie eine Belanglosigkeit an. Aber was war dann bloß der Grund für Vaters Nervosität? Irgend etwas plagte ihn doch. Wie sehr, merkten wir durch einen Zufall. Hannes hatte Theaterkarten ergattert. Das war schon damals, Herbst 42, sehr schwierig. Man mußte sich frühmorgens zwischen 4 und 5 Uhr anstellen, damit man um 9 bei Öffnung der Kasse welche bekam. Und um 1/2 4 Uhr aufzustehen, ist nicht jedermanns Sache, und schon gar nicht, wenn's in der Nacht Alarm gegeben hatte. Da kam man dann gar nicht mehr ins Bett. Aber es hatte geklappt. Nun saßen wir alle vier im Schauspielhaus. Goethe, Faust I mit Gründgens als Mephisto und Paul Hartmann als Faust. Also Spitzenbesetzung.

Schon beim ersten Faust-Prolog vergaß ich alles um mich herum. Und nicht nur dies. Ich vergaß sogar, daß Erik tot war und die Schmidtkes. Und das war mir in all den Monaten noch nie passiert.

Plötzlich stieß Hannes mich an. Er legte den Zeigefinger auf den Mund und deutete mit dem Kopf vorsichtig zu Vater hin, der neben mir saß. Ich schielte seitwärts. Vater war mit allem anderen beschäftigt, nur nicht mit der Aufführung. Er guckte überhaupt nicht auf die Bühne, sondern starrte auf den Rücken seines Vordermannes. Die Hände hatte er zu Fäusten geballt und gegeneinander gepreßt. Reglos saß er da. Ich glaube, er hörte kein Wort von dem, was auf der Bühne gesprochen wurde.

Ich sah lange auf seine Hände. Hätte ich sie doch nur gestreichelt! Aber ich traute mich nicht. Hannes schien das gleiche zu denken. Er schob seine Hand unter meinen Oberarm und umklammerte ihn, fast zärtlich. Oder war es angstvoll? Nur Mutter schien nichts zu merken. Erst als wir Monate später einmal auf den Abend zu sprechen kamen, sagte sie: »Es war qualvoll. Ich sehe noch immer seine Fäuste. Aber es war sicher besser für ihn, sich nichts anmerken zu lassen.«

Ja, das war es wohl. Denn er wollte einfach nicht davon reden. Auch jetzt nicht, als er wieder drei Tage frei genommen hatte, um mit uns Kartoffeln zu ernten. Wir holten so viel heraus wie im letzten Jahr, vielleicht sogar noch mehr. Und dieses Jahr hatten wir niemanden, der sie uns nach Hause fuhr. Das Pferd des Bauern war eingezogen worden wie ein Soldat. Der Hof war zu klein, und es wurden so viele Pferde gebraucht. Irgendwo im Osten mußte die dicke Lotte jetzt Munitionswagen ziehen. Aber Nachbarn hatten uns ihren

Handwagen zu leihen versprochen. »Das wird 'ne ganz schöne Schinderei«, meinte Hannes.

»Ah, zusammen schaffen wir's schon, mein Junge«, erwiderte Vater. »Wir wollen froh sein, noch zusammen Kartoffeln karren zu können. Wer weiß, wie es im nächsten Jahr aussieht.«

Ja, wer weiß. Wenn das so weiterging, kam Hannes bestimmt auch noch dran. Zwar war es seit Beginn der Sommeroffensive im Osten wieder vorwärts gegangen, und wir hatten Hunderttausende an Gefangenen und große Mengen Kriegsmaterial erbeutet, aber die Russen verfügten offensichtlich über unerschöpfliche Reserven. Schon seit mehreren Wochen tobte nun der Kampf bei Stalingrad. Die Stadt schien uneinnehmbar. Der russische Widerstand wurde immer erbitterter. »Was meint ihr, wie viele Gefallene, Verwundete und Vermißte uns bisher diese eine Stadt schon gekostet hat«, hatte Vater vor ein paar Tagen gesagt.

Aber jetzt waren wir auf dem Feld. Der erste Erntetag ging zur Neige. Langsam wurde es dunkel. Ein ziemlich großer Haufen Kartoffeln lag am Ackerrand. Wolfgang deutete darauf, und seine Stimme war sehr rauh, als er fragte: »Und was wird damit heute nacht?«

Tante Lore wandte sich ab, nahm ihr Rad auf und schob es durch den Sand zum Weg. Lisabeth lief hinterher. Ursula heulte los. Ich sah Hannes an. Der stand stocksteif da und starrte auf den Boden. Einen Augenblick war alles wie im letzten Jahr, und ich meinte, Hannes sagen zu hören: »Ihr könnt ja losen.« Da hielt ich es nicht mehr aus, setzte mich hin und verbarg mein Gesicht in den Händen. Ich hörte Onkel Oskar sagen: »Wolfgang, wir beide schlafen heute nacht hier draußen. Morgen tun es vielleicht Onkel Franz und Hannes, nicht wahr? Und bis übermorgen abend haben wir sie vielleicht schon alle zu Hause.«

Nie war ich jemandem so dankbar wie Onkel Oskar in diesem Augenblick.

Ich wache auf. Es ist noch dunkel. Irgendein Geräusch hat mich geweckt. Hat es Alarm gegeben und habe ich die Sirenen überschlafen? Stehen die andern jetzt auf? Es ist mir doch noch nie passiert, daß ich das Sirenengeheul nicht gehört habe. Oder bin ich vom Kartoffelhacken so erschöpft, daß nicht einmal die Sirenen mich wecken konnten?

Ich höre jemanden reden. Eine fremde Stimme. Jäh bin ich hellwach. Ich knipse die Nachttischlampe an. Die Uhr zeigt kurz nach fünf. Ich springe aus dem Bett und zur Tür. Wieder diese fremde Stimme. Ich verstehe nicht, was sie sagt. Nur ein paar Worte. Sehr langsam drücke ich die Klinke herunter und öffne die Tür einen Spalt. Nun sehe ich genau auf die Tür unseres Badezimmers. Die steht weit offen. In der Öffnung ein fremder Mann in Zivil. Er kehrt mir den Rücken zu und sieht ins Bad.

Dort steht Vater in seinem Morgenmantel vor dem Rasierspiegel und rasiert sich. Jetzt zieht er auf dem Lederriemen das Messer ab. Nun legt er den Kopf schräg nach hinten und fängt an, seinen Hals zu rasieren. Ich habe ihm oft beim Rasieren zugeschaut und kenne jede Bewegung. Er tut es so ruhig und gleichmäßig wie immer. Die Tür zum Schlafzimmer meiner Eltern steht ebenfalls weit offen. Mehrere Männerstimmen reden miteinander, aber so leise, daß ich nichts verstehe. Sehr behutsam ziehe ich meine Tür etwas weiter auf. Verdammt – jetzt quietscht sie doch. Hannes hätte sie längst ölen sollen. Der Mann in der Badtür wendet einen Augenblick den Kopf und blickt mich an. Ein unbewegtes Gesicht, kühle Augen. Dann dreht er sich wieder um und sieht Vater zu.

Das Zimmer von Hannes liegt meinem gegenüber auf der anderen Seite des Ganges. Wahrscheinlich hat er das Quietschen meiner Tür gehört, denn plötzlich öffnet er seine Tür und kommt mit zwei Schritten über den Gang auf mich zu. Der Mann in der Badtür dreht sich wieder um. Als er Hannes sieht, macht er eine rasche Bewegung mit dem Kopf zum Schlafzimmer hin. Hannes drängt mich in mein Zimmer zurück hinter die Tür und flüstert: »Gestapo! Sie holen Vater.«

Da steht auch schon ein anderer Mann in Zivil in meiner Tür und sagt: »Bitte gehen Sie in Ihr Zimmer zurück!« Hannes sieht mich an, dann folgt er dem Befehl. Vater steht noch immer vor dem Spiegel und rasiert sich. Der Mann tritt wieder auf den Hausgang und zieht meine Tür hinter sich zu.

»Gestapo! Sie holen Vater ... Nie wieder ein Wort davon – hörst du? Nie wieder! ... Behrens ist verschwunden ... Die ganze Sache ist höchst mysteriös ... Ihr Vater geht in letzter Zeit öfter mal früher ...« Gedankenfetzen. Und Bilder. Vaters geballte Fäuste, seine scharrenden Füße ... die Schatten unter den Augen. Jetzt also ist es soweit.

Wieder diese fremde Stimme da draußen. Ich presse mein Ohr an die Türritze. Im Bad rauscht Wasser. Vater duscht morgens immer sehr lange, abwechselnd heiß und kalt. Das Wasser rauscht. Nun wird es still, ganz still. Jetzt trocknet er sich ab. Ein Hüsteln. Das ist Vater. Schritte ins Schlafzimmer. Die Stimme meiner Mutter. Jetzt Vater. Stille. Zieht er sich an? Natürlich zieht er sich an. Noch einmal wieder Mutter. Nichts zu verstehen. Stille. Warum sagt niemand was? Irgend jemand müßte doch reden da draußen ... Herrgott! Wenn doch jemand was sagen würde, irgendwas ... Diese Lautlosigkeit, diese entsetzliche Lautlosigkeit!

Schritte auf dem Hausgang. Schritte mehrerer Füße. Zur Treppe? Nein, hierher. Ich husche ins Bett. Jetzt sind sie da. Nein, bei Hannes. Vaters Stimme. Wenige Worte, nicht zu verstehen. Schritte. Die Türklinke wird heruntergedrückt. Die Tür geht auf. Vater. Er kommt auf mich zu. In Zivil. Hinter ihm zwei Männer. Sie bleiben in der Tür stehen. Vater sieht mich an. Seine Augen sind sehr hell, ganz unglaublich hell sogar. So hell habe ich sie noch nie gesehen. Ich sehe nichts anderes als seine Augen. Er beugt sich zu mir herunter. Seine Lippen berühren meine Stirn. Seine Hände streichen über meine Wangen. Er sagt: »Gott befohlen, Hanna!« Seine Stimme ist ruhig, nur tiefer als sonst, viel tiefer. Er richtet sich auf, dreht sich um, geht. Kein Blick zurück. Die beiden Männer folgen ihm. Sie gehn zur Treppe. Nun Mutters Schritte aus dem Schlafzimmer, auf der Treppe, huschend. Unten geht die Haustür.

Ich springe aus dem Bett, zur Tür, stehe Hannes gegenüber. Er nimmt meine Hand und zieht mich zu den beiden Fenstern oben im Treppenhaus, unserem Beobachtungsposten. Draußen dämmert es. Vor Böhmers Gartenpforte steht ein großes schwarzes Auto. Die Straße ist leer.

Da – Vater mit den beiden Männern hinter der Hecke hervorkommend. Vater in der Mitte. Er wirkt klein zwischen den beiden Männern. Er geht sehr aufrecht, aber etwas steif. Nicht das weit ausholende Armeschlenkern wie sonst. Die Autotür wird geöffnet, von innen. Es sitzt also einer drin. Vater steigt ein. Ohne zurückzuschauen. Einer der beiden Männer steigt zu. Der andere kommt zurück. Das Auto fährt ab, verschwindet hinter Böhmers Haus.

Hannes preßt meine Hand, schmerzhaft, lange. Dann läßt er sie los. Wir drehen uns um. Im Schlafzimmer meiner Eltern steht ein Mann vor dem Wäscheschrank und zieht gerade Vaters Oberhemden heraus. Jedes einzelne Hemd hält er bei den Schultern, schüttelt es und wirft es auf die Couch. Unten zwei Männerstimmen. Ich höre Mutter etwas sagen. Zu verstehen ist nichts. »Ich geh runter zu Mutter«, sagt Hannes. »Geh du in dein Zimmer.« Der Mann vor dem Wäscheschrank schüttelt Oberhemden. Wir sind Luft für ihn.

Ich stoße die Fensterläden auf. Goldbraunes Ahornlaub in der Morgendämmerung. Noch sind die Bäume voll belaubt. Bald werden die Blätter fallen, denke ich, bald werden sie fallen.

Wie lange ich am Fenster stand, weiß ich nicht. Es muß ziemlich lange gewesen sein. Denn als Mutter zu mir trat und ihren Arm um meine Schultern legte, war sie bereits angezogen und frisiert. Sie hatte sich sogar geschminkt. Ihr Gesicht wirkte maskenhaft. Sie flüsterte: »Haussuchung. Du gehst jetzt sofort runter in deinem Morgenmantel, Hanna. Gehst in die Küche, schneidest dir ein Stück Brot ab, setzt dich an den Küchentisch, streichst dir irgendwas drauf und fängst an zu essen. Auf dem Küchentisch steht die rote Schale mit den Briefen. Ziemlich obenauf liegt der von Tante Elfriede, der von gestern. Vater wollte ihn noch vernichten, hat es aber vergessen. Diesen Brief nimmst du an dich. Er muß verschwinden, hörst du?«

»Wie?«

»Das weiß ich nicht, aber er muß weg.«

Ja, das mußte er, unbedingt. Ich zog meinen Morgenmantel an und unter das Nachthemd ein Höschen. Ich hatte schreckliches Herzklopfen, als ich die Treppe runterging. Doch als ich unten in der Diele stand, war das Herzklopfen weg. Die Türen zum Wohnzimmer und zu Vaters Arbeitszimmer standen offen. Der Mann, der Vater zum Auto begleitet hatte, saß am Schreibtisch. Alle Schubladen waren herausgezogen. Auf dem Schreibtisch häuften sich Aktenordner und Papiere. Der andere Mann blätterte in einem Buch. Der am Schreibtisch blickte auf. Als er sah, daß ich in die Küche ging, wandte er sich wieder den Papieren zu.

Auf dem Küchentisch die rote Schale. Tante Elfriedes Brief war der dritte von oben. Ich streifte das Nachthemd hoch und steckte ihn ins Höschen. Dann ging ich ans Küchenbüfett und öffnete die Klappe zum Brotfach. »Klick«, machte es. Ich nahm das Brot heraus, drehte mich um und trat an den Küchentisch. Im gleichen Augenblick stand der Mann, der eben noch in dem Buch geblättert hatte, in der Küchentür. Seine grauen Augen fixierten mich. Brot schneiden, dachte ich, ganz ruhig Brot schneiden. Ich zog das große Messer aus der Schublade und säbelte eine Scheibe herunter. Sie wurde fürchterlich dick. Dann holte ich das Schälchen mit der Marmelade aus der Speisekammer. Der Mann in meinem Rükken bewegte sich. Als ich mich wieder umwandte, stand er am Küchentisch. Er hatte die Briefe in der Hand. Mit einem Teelöffel kleckste ich Marmelade aufs Brot und biß hinein. Der Mann legte die Briefe einzeln auf den Tisch, nachdem er die Absender gelesen hatte. Schließlich schob er sie auf ein Häufchen zusammen und ließ sie alle in seiner Jackentasche verschwinden. Mit dem Marmeladenbrot in der Hand ging ich an ihm vorbei und die Treppe hinauf. Vor Aufregung konnte ich kaum schlucken. Im Schlafzimmer meiner Eltern war die Couch vollgepackt mit Kleidern, Anzügen und Leibwäsche. Im Augenblick war der Mann dabei, Bettwäsche zu schütteln. Mutter stand vor der Couch und faltete die Leibwäsche wieder zusammen.

Ich ging ins Bad, fuhr mir mit dem Waschlappen übers Gesicht und begann, meine Haare zu bürsten, während ich das Marmeladenbrot hinunterwürgte. Dann putzte ich die Zähne und zog mich an. Tante Elfriedes Brief steckte noch immer in meinem Höschen.

Später frühstückten wir zu dritt in der Diele. Wir sprachen kein Wort. Die Männer wühlten noch immer in Vaters Arbeitszimmer herum. Bücher und Papiere lagen auf dem Fußboden verstreut umher.

Nach dem Frühstück sagte Hannes laut: »Ich muß jetzt los.« Er ging nach oben und kam mit seiner Schultasche zurück. Natürlich wollte er nicht in die Schule, sondern aufs Feld. Die anderen waren bestimmt schon dort. Als er mit seiner Aktentasche die Treppe herunterkam und seinen Mantel anziehen wollte, trat der eine Mann aus Vaters Arbeitszimmer auf ihn zu und sagte: »Ich muß Sie bitten, das Haus nicht zu verlassen, bis wir hier fertig sind.« Er nahm Hannes die Aktentasche aus der Hand, öffnete sie und leerte den Inhalt auf den Dielentisch. Hefte, Bücher, Zirkelkasten, Brotbüchse, Federmäppchen, Krimskrams. Der Mann schaute die Sachen an und ging wieder in Vaters Zimmer. Tante Elfriedes Brief in meinem Höschen brannte wie Feuer.

Mutter sagte: »Ich geh rauf und mache ein bißchen Ordnung im Schlafzimmer. Deck du den Tisch ab, Hanna, und spüle das Geschirr.«

Hannes begleitete meine Mutter nach oben. Ich tat, was sie mir gesagt hatte. Dann stand ich rum. Was nun? Sollte ich auch raufgehn? Aber was sollte ich da? Mutter und Hannes waren ja oben. Außerdem wühlte dort nur einer herum. Hier unten aber wühlten zwei in Vaters Sachen. Ich ging in sein Zimmer. Meine Knie waren sehr weich. Neben der Tür stand ein Stuhl. Ich setzte mich. Die beiden Männer nahmen überhaupt keine Notiz von mir. Der Papier- und Aktenberg auf dem Schreibtisch war klein geworden. Dafür häuften sich die Sachen auf dem Fußboden. Auch auf dem großen Ohrenbackensessel neben dem Schreibtisch lagen Papiere und eine Menge Fotos. Luftaufnahmen. Vater hatte 1939 ein Buch über den Aufklärungsflieger veröffentlicht und dabei eine Menge Luftaufnahmen verwendet. Was er nicht gebraucht hatte, lag noch immer in seinem Schreibtisch. Vielleicht vermuteten die Männer Spionage-Aufnahmen? Der andere Mann war gerade mit dem Inhalt der Schublade des Bücherschrankes beschäftigt. Hier bewahrte Vater seine persönlichen Papiere auf. Viele Briefe und Tagebücher. Sehr viele Tagebücher. Noch aus dem Ersten Weltkrieg, dann aus den zwanziger Jahren. In den dreißiger Jahren hatte er nicht mehr regelmäßig Tagebuch geführt. Der Mann interessierte sich für jedes Fitzelchen Papier, das von Vaters Hand beschrieben war.

Da läutete das Telefon. Die Männer blickten nicht einmal auf. Sollte ich rangehen? Aber Mutter kam schon die Treppe herunter und nahm ab. »Singelmann . . . Ach, du bist's Lore ... Ja, wir kommen noch. Aber es wird etwas später ... Das übersehe ich noch nicht. Irgendwann nachmittags ... Franz fühlt sich nicht ganz wohl ... Nein, nein, nichts Ernstliches. Aber wir hatten eine unruhige Nacht ... Der ist gerade zur Apotheke gefahren ... Wir kommen bestimmt noch. Also bis später.«

Mutter hängte ein. Der Mann vom Schreibtisch war während des Gespräches in die Diele gekommen und stand nun vor meiner Mutter. Er war sehr groß und sah auf sie herunter, als er sagte: »Ihr Mann ist nicht krank, sondern auf Dienstreise. Für jedermann. Verstanden?«

»Auf Dienstreise?« fragte Mutter und tat sehr überrascht.

»Ja, auf Dienstreise im Ausland, in geheimer Mission.«

»Und ... und wie lange wird diese Dienstreise dauern?«

»Das ist noch nicht abzusehen.«

»Wann werde ich darüber informiert?«

»Darüber kann ich Ihnen leider keine Auskunft geben.« Und er drehte sich um und setzte sich wieder an den Schreibtisch. Mutter ging wieder nach oben.

»Auf Dienstreise im Ausland, in geheimer Mission.« So also heißt das, wenn die Gestapo jemanden holt. Behrens ... war der nicht auch auf Auslandsdienstreise? Schon seit Wochen?

Gegen Mittag waren die Männer fertig. Sie hatten in allen Zimmern herumgewühlt, und es sah entsprechend aus. Tagebücher, Briefe, etliche Aktenordner, Zeitungsausschnitte, zwei Fotoalben und ein paar Bücher nahmen sie mit. Als sie gingen, sagte der, der nach dem Telefongespräch mit Mutter gesprochen hatte: »Sie wissen: auf Dienstreise! Es könnte nachteilige Folgen für Sie haben, wenn er nicht auf Dienstreise wäre.« Und dann: »Heil Hitler!«

»Heil Hitler!« erwiderte Hannes und schlug die Hacken zusammen. Mutter und ich sagten nichts. Die

Männer stiegen in ein schwarzes Auto, das vor unserem Haus wartete. Wir hatten es gar nicht gesehen.

Das Auto fuhr ab. Mutter ließ sich in einen Sessel fallen und schluchzte. Ich stürzte ins Bad, zog Tante Elfriedes Brief aus dem Höschen, zerriß ihn in winzige Schnipsel, warf sie in die Toilette und spülte sie weg. Plötzlich wurde mir schlecht. Ich mußte mich übergeben.

Am Nachmittag fuhren Hannes und ich aufs Feld. Natürlich erzählten wir, was geschehen war. An diesem Tag wurden keine Kartoffeln mehr gehackt. Auch der Haufen blieb unbewacht am Feldrand liegen. Als es dunkel war, kamen Tante Lore und Onkel Oskar angeradelt. Zu telefonieren wagten sie nicht. Unser Anschluß wurde bestimmt überwacht. Das war am 9. Oktober 1942.

Warten – warten. Nichts ist fürchterlicher als Warten, wenn man nicht einmal weiß, wie lange man warten muß. Mutter verließ überhaupt nicht mehr das Haus. Sie bewachte das Telefon. »Vielleicht kommt ja ein Anruf. Und wenn ich dann nicht da bin . . .«

Hannes und ich schwänzten noch zwei Tage die Schule, um die restlichen Kartoffeln zu ernten. Hannes hackte in einem irren Tempo, schneller als Onkel Oskar. Sein Hemd war schon nach einer halben Stunde durchgeschwitzt. Er zog es aus. Onkel Oskar legte ihm die Hand auf die Schulter und sagte: »Junge, so geht das nicht. Du machst dich kaputt bei dem Tempo. Der Tag hat ja erst angefangen.«

»Ich mich kaputtmachen? Ganz im Gegenteil. Das tut gut – ganz ungeheuer gut sogar. Ich ginge kaputt, wenn ich jetzt keine Kartoffeln hacken könnte.« Und er hackte weiter, als bekäme er Akkordlohn. Zwischendurch sagte er zu mir: »Ich muß für Vater mithacken, weißt du, und auch für Mutter.«

»Aber das erwartet doch keiner hier.«

»Das weiß ich. Aber ich muß es trotzdem. Denn wenn

ich für Vater mithacke, dann ...« Er beugte sich runter und zog eine Staude heraus.

»Was ist dann?«

»Dann ist Vater bald wieder da.«

Ich erschrak. Aber nicht, weil diese Gedankenfolge eigentlich ganz unsinnig war, sondern weil ich mich ertappt fühlte. Seit Vater geholt worden war, hatte auch ich mit dem »Wenn-Spiel« wieder begonnen. Das Wenn-Spiel stammte aus Kindertagen. Es war ein Spiel, das man ganz allein mit sich spielt, ein magisches Spiel. Hatte man irgendeinen Wunsch, dessen Erfüllung höchst zweifelhaft war, dann wurden die Zweifel mit dem Wenn-Spiel gebannt. Ich stellte mir die verrücktesten Aufgaben: Wenn ich auf einem Bein bis zur Straßenbahnhaltestelle hopse ... wenn ich auf dem Fahrrad freihändig ums Karree komme ... wenn ich den Kreisel über die Straße peitschen kann von einem Bürgersteig zum andern, ohne daß er umfällt ... wenn ich in einer Minute im Wipfel unserer Kletterkiefer bin ... wenn ich in einem Zug ein Glas Wasser runterbringe ...« – dann, ja dann geht der Wunsch in Erfüllung.

Als ich größer wurde, erlosch die magische Kraft des Spiels. Ich vergaß es. Aber seit gestern früh hatte ich es wieder zu spielen begonnen. Es hatte mit der Unordnung in meinem Zimmer nach der Haussuchung angefangen: Wenn ich in einer Stunde alles fein säuberlich aufgeräumt habe, dann kommt Vater bald wieder ... wenn wir in einer halben Stunde auf dem Feld sind ... wenn es keinen Alarm gibt ... Das Aufräumen hatte ich geschafft. Auf dem Feld waren wir auch in einer knappen halben Stunde. Alarm aber hatte es gegeben.

Dafür hackte Hannes nun wie besessen. »Dann ist Vater bald wieder da.« Am liebsten hätte ich ihn umarmt. Aber wir vermieden es, uns anzuführen. Auch Mutter. Die Tränen kamen zu rasch.

Zwei Tage nach Vaters Verhaftung waren die Kartoffeln geerntet. Mit zwei Handwagen karrten wir sie noch am selben Tag zu Rolands. Wir mußten oft hin und her. Aber abends um elf hatten wir es geschafft.

»Wollt ihr heute nacht nicht hier schlafen?« fragte Tante Lore. Hannes schüttelte den Kopf. »Danke, Tante Lore. Auf keinen Fall. Wir lassen Mutter nicht allein. Ich telefoniere mal eben, ja?«

Hannes nahm den Hörer ab und wählte unsere Nummer. Ich stellte mich dazu. Mutter meldete sich. »Hier Hannes. Was Neues?«

»Nein.«

»Wir sind fertig und haben gerade die letzten beiden Wagen hergeschafft. Wir kommen jetzt und bringen gleich eine Fuhre mit.«

»Jetzt – bei Nacht? Wollt ihr nicht lieber schnell per Rad kommen?«

»Warum? Es ist ja noch nicht so spät. Außerdem werden wir oft hin und her müssen. Dann können wir auch gleich die erste Fuhre mitnehmen. In einer Stunde sind wir da.«

»Packt den Wagen nicht zu voll.«

»Mehr als vier Säcke gehn sowieso nicht drauf«, erwiderte Hannes, »also bis gleich.«

Als Onkel Oskar die Gartenpforte aufschloß, sagte er: »Ich lasse euch nicht gerne gehn. Ihr braucht doch mindestens eine Dreiviertelstunde. Und das bei der Dunkelheit! Wenn nun Alarm kommt?«

»Wird schon nicht«, meinte Hannes.

»Und wenn's nun doch welchen gibt?«

»Dann gehn wir in 'nen öffentlichen Luftschutzkeller.«

Die Nacht war finster. Aber die Straßen zwischen Rolands und unserem Haus kannten wir in- und auswendig. Unzählige Male waren wir sie geradelt. Mit einem vollgepackten Handwagen waren wir allerdings noch nie unterwegs gewesen. Vier Säcke Kartoffeln sind ganz schön schwer zu ziehen, wenn die Straßen nicht asphaltiert, sondern gepflastert sind. Der Wagen rumpelte mächtig. An jeder Kreuzung blieben wir stehen, um zu verschnaufen.

Ecke Roonstraße sagte Hannes unvermittelt: »Was Vater jetzt wohl macht?«

»Schlafen?«

»Meinst du? Bei der Gestapo wird man doch immerzu verhört.«

»Auch nachts?«

»Ich glaube schon.«

»Und wann schläft man?«

»Eben gar nicht. Das wollen die ja. Einen fertigmachen. Und das schaffen sie am schnellsten, wenn sie einen nicht schlafen lassen.«

Das war furchtbar. Vater, der doch so viel Schlaf brauchte.

»Ob sie ihm was anhängen können?« fragte ich.

»Das wird nicht nur an ihm liegen, sondern auch daran, ob andere mit drinhängen. Da braucht nur einer umzukippen.«

Ich mußte sofort an Behrens denken. Der sah nicht aus wie einer, der schnell umkippt. »Meinst du, Behrens hat was mit Vaters Verhaftung zu tun?«

»Eher ja als nein. Sonst wäre Vater nicht so nervös gewesen, als er plötzlich weg war. Aber es ist blödsinnig, herumzuspekulieren. Komm weiter.«

Kurz vor der Goethestraße heulten die Sirenen los. »Mist!« sagte Hannes. »In 'ner Viertelstunde wär'n wir zu Hause gewesen.«

»Und wenn wir rennen?«

»Mit der Fuhre? Na gut – los!«

Hannes legte sich ins Zeug. Ich wußte gar nicht, daß er so viele Kräfte hatte. Fast wie Erik. Es war gut, einen starken Bruder neben sich zu haben. Gut und tröstlich. Der Wagen rumpelte furchtbar, und die Räder quietschten.

»Gleich kracht er zusammen«, keuchte Hannes.

Er krachte nicht zusammen, denn wir kamen nicht

weit. Ecke Lessingstraße erwischte uns ein Luftschutzwart. »Wo wollt ihr hin?«

»Natürlich nach Hause. Wohin denn sonst?«

»Sofort in den öffentlichen Luftschutzkeller, Lessingstraße 51.«

»Es schießt ja noch gar nicht«, erwiderte Hannes.

»Bei Vollalarm ist umgehend die Straße zu räumen!«

»Das wissen wir. Aber wo sollen wir den Wagen lassen?«

»Laßt ihn stehn.«

»Damit die Kartoffeln Beine kriegen, was?« fragte Hannes scharf.

»Willst du damit etwa sagen, ich stehle eure Kartoffeln?«

»Nein. Aber es gibt ja auch noch andere Leute.«

Im Westen fing die Flak zu schießen an. »Komm, gehn wir in den Keller«, sagte ich und zog Hannes am Ärmel.

»Und Mutter? Allein ... Die ängstigt sich zu Tode unsertwegen.«

Das Schießen kommt näher. »Rasch, komm!« sage ich und renne los. Hannes hinterher. Gerade als unsere 10,5-Flak zu dröhnen anfängt, haben wir den fremden Keller erreicht. Etwa fünfzehn Leute sitzen drin. Ein paar kenne ich vom Ansehn. Die auf der Bank bei der Tür rücken zusammen.

Nun schießt die Flak aus allen Rohren. Dumpfes Gedröhn. Dazwischen knatternd leichtere Flak. »Die können's heute«, sage ich und greife nach Hannes' Hand.

»War neulich auch so«, erwiderte er ruhig, »aber Mutter ...«

Gebrumm. Die Flak schießt wie verrückt. Pausenlos explodieren die Granaten über uns. Da – ein Pfeifen – weit weg, näher, noch näher. »Bomben!« kreischt eine Frau und springt auf. Es kracht. Das Haus wackelt. Wieder: Pfeifen – Heulen. Hannes reißt mich an sich. Wir ducken uns. Ohrenbetäubendes Krachen. Reihenwürfe. Kommt's näher oder ist's weiter weg? Nicht zu unterscheiden. Ein Augenblick Stille, lautlose Stille. Da – Pfeifen – Heulen, lauter, immer noch lauter – Krachen – das Haus schwankt – der Keller ist plötzlich voll Mörtelstaub.

»Hier!« stößt Hannes aus und preßt mir ein Tuch vor den Mund. Und wieder: Pfeifen – Heulen – Rumms! Rumms! Rumms! Dann noch einmal und noch einmal. Doch die Einschläge entfernen sich. »O Gott!« schluchzt irgend jemand. Die Flak schießt noch immer wie toll. Aber die Geschosse explodieren nicht mehr über uns. Das Gebrumm wird leiser. Wir richten uns auf. Hannes hält mich noch immer umschlungen. »Und Mutter ...«, flüstert er.

Endlich Entwarnung. Beim ersten Ton der Sirene sind wir draußen. Die Luft ist voll Mörtelstaub. Wir rennen los. Den Handwagen lassen wir Handwagen sein. Je weiter wir kommen, um so sauberer wird die Luft. Gott sei Dank! Nun nur noch zwei Ecken. Endlich in der Uhlandstraße. Mutter steht vor der Gartenpforte. »Daß ihr da seid!« stammelt sie und schließt uns in die Arme. »Wir müssen sofort Onkel Oskar anrufen. Er ist furchtbar aufgeregt euretwegen.« Unser Gartenweg ist übersät mit Ziegelbrocken. Die Fenster sind heil geblieben. Mutter hat sie weit geöffnet. Es waren die ersten Bomben, die in unserer Nähe fielen.

Mutter geht noch mit den Handwagen holen. »Ich kann doch noch nicht schlafen«, sagt sie. In der Raabestraße gleich hinter der Ecke rechts steht ein Lastwagen. Die Ladeklappe ist heruntergelassen. Drei Männer in Polizeiuniform stehen plaudernd davor. Zwei rauchen. Die Zigarettenspitze glimmt auf, wenn sie daran ziehen. Nun lachen sie laut, und der eine schlägt dem neben ihm Stehenden auf die Schulter.

In diesem Augenblick kommen den Gartenweg von links mehrere Gestalten herunter. Noch sind sie zu weit entfernt, als daß man ihre Gesichter erkennen könnte. »Kommt!« sagt Hannes plötzlich und versucht, Mutter und mich am Lastwagen vorbeizuziehen. Da sehe ich, daß auch in dem Lastwagen Leute sind, mehrere, viele. Sie stehen zusammengedrängt im vorderen Teil der Ladefläche. Jetzt kann ich auch erkennen, wer da den Gartenweg herunterkommt: Es ist das alte jüdische Ehepaar, die Besitzer von Mohrchen. Jeder von ihnen trägt einen Koffer in der einen Hand, in der anderen eine zusammengerollte Wolldecke. Hinter ihnen zwei Männer. Da wissen wir: In dem Lastwagen, das sind Juden. Juden, die man abgeholt hat, um sie zu evakuieren. Ja, es heißt »Evakuierung«, wenn Juden abtransportiert werden. Wohin? Niemand weiß es genau. In den Osten, in Arbeitslager, heißt es. Vater aber hat gesagt: in Vernichtungslager.

Wir bleiben stehen. »Gehen Sie weiter, los!« ruft der eine Polizist an der Ladeklappe, »sofort!«

»Ja, sofort«, erwidert Mutter, tritt den beiden Alten entgegen und sagt laut: »Gott befohlen!« Die alte Frau schluchzt auf, bleibt stehen. Der hinter ihr gehende Uniformierte stößt sie mit der Faust in den Rücken. »Weiter!« Ein Polizist von der Ladeklappe springt herzu, packt Mutter am Arm. Es geht so schnell, daß Hannes und ich es nicht verhindern können. Da sagt der alte Mann sehr laut: »Danke, Frau Oberst! Gott befohlen!« Der Mann läßt den Arm meiner Mutter fahren, wendet sich gegen die beiden Alten, reißt ihnen die Koffer aus der Hand und wirft sie in den Lastwagen. Die anderen beiden Männer drängen die beiden Alten an die Ladeklappe. »Los, rauf!« Hände von oben strecken sich ihnen entgegen, packen zu, ziehen sie hoch, greifen ihnen unter die Arme. Drei Polizisten springen hinterher, die andern beiden verriegeln die Klappe, laufen nach vorn. Das Auto springt an, fährt ab, verschwindet in der Dunkelheit. Wir stehen und lauschen. Auch als schon lange nichts mehr zu hören ist.

Unser Handwagen stand tatsächlich noch an seinem Platz. Doch statt vier Säcken lagen nur noch zwei drauf. »Was sind schon zwei Sack Kartoffeln«, sagte Mutter, »wo so viel Schreckliches in der Welt passiert.«

Als ich drei Tage später mittags aus der Schule kam, öffnete niemand auf mein Klingeln. Mutter nicht zu Hause? Das gab es doch gar nicht mehr. Seit Vaters Verhaftung hatte sie sich auch nicht einen einzigen Augenblick außer Hörweite des Telefons begeben. Irgend etwas mußte passiert sein.

Ich kletterte über den Zaun. Mutter hatte den Haustürschlüssel unter die Matte gelegt. In der Diele auf dem Tisch ein Zettel: »Bin nach Anruf in die Prinz-Albrecht-Straße gefahren.« Mehr nicht. Prinz-Albrecht-Straße – da war das Gestapo-Amt und Reichssicherheitshauptamt der SS.

Ich konnte es kaum erwarten, daß Hannes aus der Schule kam. Gottlob hatte er diese Woche vormittags Unterricht. Er war genauso überrascht wie ich. »Ob sie Vater besuchen darf?« fragte ich.

»Deswegen haben die wohl kaum angerufen.«

»Vielleicht erfährt sie, warum er geholt worden ist.«

»Das glaube ich erst recht nicht. Vater ist auf Dienstreise. Meinst du, die hätten so hartnäckig geschwiegen, wenn sie ein paar Tage später die Karten aufdecken?«

»Aber was wollen sie denn von ihr?«

»Wahrscheinlich wollen sie sie ausfragen.«

»Du meinst, sie wird verhört?«

»Ja. Sie rechnete auch damit. Vorgestern nacht haben wir darüber gesprochen und verschiedene Möglichkeiten durchgespielt. Sie weiß, was sie sagen wird. Auch wenn man sie in die Enge treibt.«

»Warum habt ihr mich . . .«

»Still, Hanna«, unterbrach er mich. »Ich weiß, was du sagen willst. Es ist besser so, glaub mir.«

So langsam war die Uhr noch nie geschlichen. An Schularbeiten war überhaupt nicht zu denken. Wir redeten nur von Mutter in der Prinz-Albrecht-Straße.

Später, als es schon dämmrig wurde, sagte Hannes: »Jetzt aber Schluß mit dem sinnlosen Herumreden! Wenn wir uns schon nicht zusammennehmen können und Schularbeiten machen, dann sollten wir wenigstens was Vernünftiges tun. Zum Beispiel den Hausboden leermachen.«

Das stand schon lange an. Wir hatten ihn zwar schon einmal entrümpelt, aber er war noch keineswegs luftschutzmäßig hergerichtet. Sandsäcke standen auch noch nicht oben. Und die ersten Bomben waren nun ja auch in Lichtenrade gefallen, es hatte an mehreren Stellen gebrannt. Sicher waren es nicht die letzten. Es wurde Zeit, daß etwas geschah.

Schwerarbeit. Die Bodentreppe war eng und hatte einen rechtwinkligen Knick. Die alte Wäschetruhe war nicht runterzubringen. Wie sie wohl raufgekommen war? Den Schrank mußten wir auseinandernehmen, und bei meinem alten Schülerpult klemmte ich mir die Finger. Als ich vor Schmerz losließ, rutschte mir eine Ecke auf den Fuß.

»Hat man schon mal so was Ungeschicktes gesehn! Du stellst dich an wie eine Zehnjährige. Hätt' ich bloß Wolfgang geholt!«

Ich heulte los. Der Fuß und die Finger taten scheußlich weh.

»Hör auf zu heulen!«

Da mußte ich noch mehr heulen. Und wenn man heult, kann man natürlich ein Schülerpult noch schlechter festhalten. Ich ließ es los. Hätte Hannes nicht gerade in der Ecke der Treppe gestanden, dann hätt' es ihn wahrscheinlich an die Wand gequetscht. So rutschte es polternd noch ein paar Stufen weiter und blieb dann in der Tür zur Diele hängen. Hannes versuchte, es wieder nach oben zu ziehen – vergeblich. »Verdammter Mist!«

Ich aber saß auf der Bodentreppe und heulte und konnte gar nicht wieder aufhören. Die verklemmten Finger und den gequetschten Fuß merkte ich schon fast nicht mehr, aber die Tränen liefen einfach immer so weiter.

»Hanna, entschuldige, es war nicht so gemeint«, sagte Hannes und setzte sich zu mir. »Bitte, nicht weinen – nicht so!« Er strich mir übers Haar. Da wurde alles noch viel schlimmer. »Es ist . . . wegen Vater . . . und Erik . . . und Schmidtkes . . . und Mutter ist noch nicht zurück.«

»Hanna . . . wir wollen doch tapfer sein, haben wir gesagt.«

»Ich kann nicht mehr tapfer sein.«

Da zog mich Hannes auf den Schoß wie ein Kind und wischte mir mit seinem Taschentuch die Tränen ab, bis keine mehr kamen.

Sieben Uhr, acht Uhr, neun Uhr, zehn Uhr. Noch immer nichts von Mutter. Da – um halb elf schrillte das Telefon. Wir fuhren zusammen. Hannes ging ran. Mutter. »In einer Dreiviertelstunde bin ich zu Hause«, sagte sie.

Wir holten sie an der Straßenbahn ab. Sie sah sehr elegant aus, wie sie da in ihrem blauen Kostüm ausstieg, sehr elegant und sehr gut. In der Dunkelheit konnten wir ihr Gesicht nicht erkennen. »Hast du ihn gesehn?« fragte Hannes.

»Nein. Ich erzähl euch zu Hause. Kommt, hakt mich ein.«

Wir nahmen sie in die Mitte. Sie stützte sich auf. Ich erschrak und dachte: wie Oma. Schweigend liefen wir heim. Erst in der Diele sahen wir, wie bleich sie war. Nein, nicht bleich, gelblich. Ihre Augen lagen tief in den Höhlen, und von den Mundwinkeln liefen zwei scharfe Falten zum Kinn herunter.

»Es war sehr anstrengend«, sagte sie und setzte sich in einen Korbstuhl in der Diele, »macht mir bitte zwei Brote.«

»Womit?« fragte ich.

»Ist egal.«

Sie aß. »Ich habe ihm ein Körbchen mit Obst, etwas Butter und Käse dortlassen dürfen. Mit einem Zettel dabei. Sie haben versprochen, es ihm zu geben. Das war aber auch das einzig Positive. Schon das Gebäude . . . die Wachen . . . die Uniformen . . . Ich wurde zu einem SS-Obersturmführer geführt. Ströhler heißt er. Etwa mein Alter. Klug, routiniert. Der ist für Vater zuständig. Er wollte mich wohl einschüchtern, denn er sagte: ›Die Sache ist sehr ernst. Ich kann Ihnen aber nichts Näheres sagen. Alles muß streng geheimgehalten werden. Auf alle Fragen nach Ihrem Mann antworten Sie: Auf Dienstreise im Ausland, Dauer unbestimmt. Absolutes Stillschweigen ist zu wahren.‹ Meine Frage, ob ich einen Anwalt als Verteidiger bestellen könne, wurde verneint.

Und dann ging es los. Ein richtiges Verhör. Alles wurde mitgeschrieben. Ich stellte mich völlig dumm. Ließ nur durchblicken, daß Vater nicht ganz kritiklos dem Regime gegenüber wäre. Sonst wären meine Aussagen zu unglaubhaft geworden.

Schließlich kam auch meine Person an die Reihe. Ich betonte, daß ich politisch nur wenig interessiert sei, meine Aufgabe ausschließlich als Frau und Mutter sähe. Dann fragten sie mich über eure Erziehung aus. Natürlich seid ihr sehr gerne bei BDM und HJ. Deine Flugscheine, dein freiwilliger Bordfunkerlehrgang und daß du BDM-Führerin und so rasch befördert worden bist – das alles macht sich gut. ›Eine Erziehung im nationalsozialistischen Sinne scheint gewährleistet‹, meinte Herr Ströhler schließlich, ›andernfalls würden wir dafür sorgen müssen.‹ ›Und wie sähe das aus?‹ fragte ich. Bekam aber keine Antwort.«

Mutter schwieg. Nun wußte ich, warum Vater uns immer so zu BDM- und HJ-Dienst gedrängt hatte. Eine Erziehung im nationalsozialistischen Sinne mußte gewährleistet sein.

»Ihr werdet also auch weiterhin regelmäßig dort erscheinen, hört ihr? Und ein bißchen mehr Eifer wäre gewiß kein Nachteil.« Wir nickten.

An diesem Abend kamen wir noch lange nicht ins Bett. Alarm. Zwei Stunden mußten wir im Keller hocken. Die Flak schoß wieder sehr heftig, es fielen auch Bomben, aber nicht so nah wie letztes Mal. Als es Entwarnung gab, brannte es in unserem Viertel an mehreren Stellen.

Dann der erste Brief von Vater. Abgestempelt am 17. 10., datiert vom 15. 10. Nur ein kleines Blatt.

Ihr Lieben daheim.

Dies heute der erste Brief nach unserer Trennung. Ich weiß nicht, wann ich Euch wiedersehen darf. Meine Gedanken sind viel bei Euch daheim, wenn ich sie nicht auf mich konzentrieren muß. Das muß ich viele Stunden des Tages, und ich schreibe dann auch sehr viel. Aber die Abende und Nächte sind lang. Und da ich nur wenig schlafen kann, bleibt viel Zeit für schweifende Gedanken.

Es ist tröstlich, an unsere Welt zu denken. Es muß mir gelingen, es muß auch Euch gelingen, aus unserer Welt so viele Kräfte zu ziehen, daß wir Schweres, auch untragbar Scheinendes durchstehen können. Ich umfasse Euch und hoffe auf ein Wiedersehen.

Vater.

P.S. Herr Ströhler ist für mich zuständig. Erkundigt Euch, wie oft Ihr schreiben und mir etwas bringen dürft. Und wie es mit Besuchen aussieht.

Mutter fuhr sofort in die Stadt, um Herrn Ströhler zu sprechen. Sie mußte über fünf Stunden warten, ehe er Zeit hatte. Aber das Warten lohnte sich: Sie durfte fortan alle acht Tage einen Brief, Obst und Wäsche abgeben. Besuchserlaubnis gab es nicht. »Vielleicht später«, sagte Ströhler.

So fuhr Mutter jede Woche in die Stadt. Abends saß sie lange am Schreibtisch und kritzelte Briefe. Kritzeln – denn auch sie durfte nur ein Blatt vollschreiben. Was kann man schon auf einem Blatt sagen! Wie oft zerriß sie es wieder, um am nächsten Tag von vorne anzufangen. Ich glaube, sie schrieb ihm auf diese Weise jeden Tag.

Auch von Vater kam nun öfter Post, aber immer nur ein Blatt. Bei dem Brief vom 15. November verlor Mutter zum ersten Mal die Nerven: »Meine Verhaftung mit all ihren möglichen Folgen ist ein Abschluß. Ich weiß nicht, ob es überhaupt einen neuen Anfang geben wird. Gibt es keinen, dann soll meine Urne in Hamburg ruhen. Gibt es einen, dann werden wir vorher sehr lange getrennt sein. Ich werde eine solche Trennung durchhalten. Ihr aber müßt nun lernen, mit dem Gedanken daran umzugehen. Halte die Kinder umfangen und danke ihnen, daß sie so viel Form und Haltung haben, wie Du schreibst . . .«

Hatten wir Form und Haltung? Vielleicht. Außenstehende merkten wohl nichts. Nicht einmal Oma und Opa. Wir hatten ihnen noch nicht die Wahrheit gesagt. Vater war auf Dienstreise. Außer Rolands wußte niemand Bescheid.

Endlich am 24. November Besuchserlaubnis für Mutter. Morgen nachmittag fünf Uhr. Sie war am Abend vorher so aufgeregt, daß sie das Tablett mit dem ganzen Abendbrotgeschirr fallen ließ. Dieses Mißgeschick – was sind schon ein paar Teller und Tassen – brachte sie vollends außer Fassung. Sie zitterte so, daß sie nichts mehr anfassen konnte.

»Wirst sehen, Scherben bringen Glück«, sagte Hannes leichthin, als wir uns bückten und alles zusammenkehrten.

Später backte ich noch einen Apfelkuchen. »Ich will

Kaffee und Kuchen mitnehmen«, hatte Mutter gesagt, »gedeckten Apfelkuchen. Den mag er doch so. Vielleicht freut er sich.«

Wir schickten sie früh ins Bett. »Du mußt schlafen, damit du morgen frisch bist. Was meinst du, wie Vater sich sorgt, wenn du so elend aussiehst«, meinte Hannes. »Und darum nimmst du ausnahmsweise auch eine Schlaftablette«, fügte er hinzu und schob sie ihr einfach in den Mund.

»Und wenn nun Alarm kommt?« fragte sie.

»Dann trag ich dich in den Keller. Ich bin stark«, erwiderte er und lachte. Aber sein Lachen klang gepreßt.

Wir begleiteten Mutter in die Prinz-Albrecht-Straße. Hannes hatte seine Flieger-HJ-Uniform angezogen und ich meine BDM-Uniform. Die grüne Schnur der Scharführerin hatte ich in die Mitte des Knotens gezogen, damit man sie auch ja nicht übersah.

Das große Gebäude wirkte unheimlich. An der Wache wurden wir genau kontrolliert, die Uhrzeit notiert. Mutter kannte das alles schon vom Abgeben der Pakete und wirkte sehr ruhig. Aber wir waren schrecklich aufgeregt. Auch wußten wir ja nicht, ob wir mitdurften. Wir durften nicht. Nur Mutter bekam einen Passierschein. Wir setzten uns auf die Bank bei der Wache. Die Uhr zeigte kurz vor fünf.

Warten – warten. Minuten können langsamer schleichen als Stunden. Es war nicht zum Aushalten. Und dabei hatten wir uns seit Vaters Verhaftung wahrhaftig im Warten üben können. Aber jetzt – das war etwas ganz anderes. Jetzt sprach Mutter mit ihm, irgendwo in diesem Riesengebäude, gar nicht weit weg und doch unerreichbar für uns.

Um zwanzig vor sechs kam sie zurück. Sie gab ihren Passierschein ab und trat auf uns zu. Sie lächelte – nur wenig, aber immerhin, sie lächelte. Wann hatte sie das letzte Mal gelächelt?

»Kommt, laßt uns ein paar Schritte in den Tiergarten

gehn«, meinte sie, »dort kann ich euch in Ruhe erzählen.«

Obwohl es über den Potsdamer Platz nicht weit war, schien es uns endlos zu dauern, bis sie zu erzählen anfing. »Er sah besser aus als ich dachte. Kaum schmaler geworden. Aber unrasiert, seit mehreren Tagen. Er entschuldigte sich mit den Worten: ›Ich werde hier nur alle vier bis fünf Tage rasiert.‹ Er darf's also nicht allein machen. Selbstmordgefahr.

Er wirkte gefaßt. Natürlich konnte er über die ganze Angelegenheit kein Wort sagen. Nur einmal, als wir kurz über geldliche Dinge sprachen, ließ er einfließen, daß wohl noch im Dezember die Entscheidung fällt. Er betonte mehrmals, daß er jetzt ganz ruhig ist, auch gut schläft. ›Nur die Alarmnächte sind unangenehm‹, sagte er, ›so ganz allein in meinen vier Wänden.‹ Man läßt ihn also in der Zelle. Ich mochte aber nicht fragen, wo sich diese vier Wände befinden. Wir haben dann noch viel Persönliches gesprochen, auch über euch. Er läßt euch sehr innig grüßen. Ich will unbedingt zu erreichen versuchen, daß ihr das nächste Mal mit dürft.«

»Wie – du darfst ihn wieder besuchen?« fragte ich.

»Ja. In etwa acht Tagen kann ich nachfragen.«

»Das hört sich aber nicht so schlecht an«, meinte Hannes nachdenklich.

»Ich weiß nicht, ob man aus der Besuchserlaubnis irgendwelche positiven Schlüsse ziehen darf. Wir sollten uns davor hüten. Denkt an den Brief vom 15. November.«

Ja, Mutter zwang uns immer wieder dazu, an diesen Brief zu denken. Wahrscheinlich wollte sie keine zu großen Hoffnungen aufkommen lassen. Genauso machte es Vater ja mit ihr: kein Brief, in dem er nicht durchblicken ließ, daß Schweres auf uns zukommen könnte. Trotzdem sprachen wir damals oft von seiner Heimkehr und allem, was wir dann machen wollten.

1. Dezember. Es war noch dunkel, als Hannes und ich morgens das Haus verließen. Wir hatten beide schlechte Laune, weil wir nachts wieder im Keller hatten hocken müssen und unausgeschlafen waren. Wie jeden Morgen guckte ich auch heute wieder in den Briefkasten. Eine blödsinnige Angewohnheit, denn die Post kam nie vor halb neun Uhr. Als ich das Türchen aufzog, fiel mir ein Brief entgegen, an Mutter adressiert. Kein Absender, keine Briefmarke, kein Stempel. Ein Brief ohne Marke und Stempel, der kommt nicht von der Post. Hannes sagte sofort: »Den muß heute nacht jemand eingeworfen haben. Als ich gestern abend nach Hause kam, war der Kasten leer.«

Wir stürzten ins Haus und zu Mutter ins Schlafzimmer. Seit Vaters Verhaftung blieb sie nach Alarmnächten morgens immer etwas länger im Bett. Sie war sofort hellwach. Als sie den Brief aufriß, rutschte ein schmaler Zettel heraus, mit Schreibmaschine beschrieben, nur ein paar Worte:

»Der Offizialverteidiger ist Dr. Schröder, Berlin-Zehlendorf, Krumme Lanke 7. Höchste Vorsicht.« Nichts weiter, keine Unterschrift.

Vor Überraschung konnten wir zunächst nichts sagen. Dann Mutter:

»Mein Gott – welche Möglichkeit!«

»Meinst du?« fragte Hannes gedehnt.

»Meinst du etwa nicht?«

»Es könnte eine Falle sein«, erwiderte er.

Wir schwiegen und überlegten.

Dann ich: »Wenn es eine Falle ist, was können sie damit bezwecken?«

»Mutter herauslocken, um ihr nachzuweisen, daß sie Verbotenes tut«, sagte Hannes sofort.

»Und was hätten sie davon?« fragte Mutter.

»Sie können dich zum Beispiel auch kassieren.«

»Dazu hätten sie schon oft Gelegenheit gehabt.«

»Sicher, aber hier hätten sie einen Beweis.«

Mutter schwieg. Dann: »Beweis hin oder her. Ich nehme Kontakt auf, und wenn es noch so riskant ist.«

Ich: »Und wie willst du das machen?«

»Per Telefon. Von irgendeinem Münzfernsprecher. Unter anderem Namen. Nur herausfinden, ob die Angaben überhaupt stimmen.«

»Das können wir ganz rasch feststellen«, meinte Hannes, lief die Treppe runter und holte das Telefonbuch. Wir fanden tatsächlich einen Dr. Rudolf Schröder, Rechtsanwalt, unter der genannten Adresse.

Mutter sagte: »Ich werde später dort anrufen und versuchen, einen Besuchstermin zu bekommen. Und ihr geht jetzt zur Schule, und zwar rasch. Es besteht kein Grund zum Fehlen heute.«

Als wir mittags nach Hause kamen, sagte sie nur: »Ich habe als Frau Lehmann angerufen. Seine Frau war am Telefon. Sie sagte: ›Mein Mann hat augenblicklich unmöglich Zeit. Er ist bis Mitte Dezember den ganzen Tag im Reichskriegsgericht eingespannt.‹ Mehr nicht.«

»Und was willst du machen?« fragte Hannes.

»Hinfahren. Noch heute abend. Ich muß ihn sprechen.«

»Und wenn er nicht zu Hause ist? Oder wenn sie dich gar nicht erst reinlassen?«

»Darüber denke ich jetzt noch nicht nach. Das hat dann immer noch Zeit.«

Gegen acht Uhr machte sie sich auf den Weg. Hannes wollte sie unbedingt begleiten. Aber sie meinte: »Das ist noch auffälliger.« Das stimmte. Wir brachten sie zur Straßenbahn. Sie sah gut aus, hatte sich auch wieder geschminkt. Früher hatte sie sich nie geschminkt. Vater mochte es nicht, höchstens wenn sie ausgingen. Jetzt tat sie es immer, wenn sie in die Stadt fuhr. »Das ist wie ein Vorhang«, hatte sie einmal bemerkt.

Und wieder warteten wir. Eigentlich hätten wir uns inzwischen an diesen Zustand gewöhnt haben müssen. Denn seit Vaters Verhaftung teilte sich unser Leben in zwei Bereiche: der Alltag mit seinen Pflichten und allem, was sich außerhalb unseres Hauses unter dem Motto »Vater ist auf Dienstreise« abspielte. Der andere Bereich war Warten. Warten auf Post, auf Besuchserlaubnis, auf eine Entscheidung, die ja einmal fallen mußte, irgendwann. Mit unserer Vernunft sehnten wir diese Entscheidung herbei, unsere Angst aber war stärker als die Vernunft. So lange keine Entscheidung gefallen war, konnte man hoffen. Und um hoffen zu dürfen, wurde uns der Zustand des Wartens erträglich.

Erst kurz vor Mitternacht kam Mutter zurück. Gottlob verschonten uns die Tommys diese Nacht. Sie berichtete mit unbewegtem Gesicht: »Ja, ich habe mit ihm reden können, mußte aber ziemlich lange warten. Er kam erst gegen halb zehn nach Hause. Als ich meinen Namen nannte, wollte er mich gleich wieder hinauskomplimentieren und sagte: ›Wenn ich mit Ihnen zwei Sätze über die Angelegenheit spreche, sitze ich morgen da, wo heute Ihr Mann sitzt.‹ Ich ging aber nicht. Blieb einfach sitzen und redete, redete. Versuchte, ihm seinen Mandanten menschlich näher zu bringen. Langsam kam er aus seiner Reserve heraus, machte sich Notizen. Ließ aber kein Wort über die Anklage fallen. Ich hütete mich auch, danach zu fragen. Ich fragte schließlich nur: ›Wie beurteilen Sie die Lage meines Mannes? Müssen wir mit einem Todesurteil rechnen?‹ Nach kurzem Zögern erwiderte er: ›Da Sie so tapfer fragen, will ich auch offen antworten. Ich halte ein Todesurteil für wahrscheinlich. Doch sehe ich die Möglichkeit, mit Paragraph 51 zu operieren – Zurechnungsunfähigkeit.‹«

Mutter schwieg. Sie blickte mich an, aber sie sah mich gar nicht. Ich empfand zunächst nichts. Ich war sehr weit weg, nicht vorhanden. Irgendwie hatte ich ihre Worte noch gar nicht zur Kenntnis genommen. Sehr langsam erst drang es in mein Bewußtsein: Todesurteil. Todesurteil für meinen Vater. Dann dachte ich: Zurechnungsunfähigkeit – Vater nicht zurechnungsfähig? Ehe ich mir klarmachte, daß dies allein Vaters Rettung sein könnte, stellte ich mir vor, wie das wohl wäre: Vater nicht zurechnungsfähig. Da mußte ich lachen und mußte immer mehr lachen und konnte gar nicht wieder aufhören. Die Tränen liefen mir über die Wangen herunter, so sehr lachte ich.

Als ich wieder zu mir kam, blickte ich in Mutters entsetztes Gesicht. Sie stand auf und sagte: »Kind, Kind! Wir müssen jetzt die Nerven behalten – alle drei. Verstehst du – wir müssen! Es hängt so viel davon ab. Ich muß mich auf euch verlassen können. Dr. Schröder will einiges für uns tun. Wir werden alle Termine von ihm erfahren: Wann die Anklageschrift fertiggestellt ist, wann der Prozeß beginnt, wann mit dem Urteil zu rechnen ist und ob es ihm gelingt, Vater aus dem Prozeß herauszunehmen und auf Zurechnungsfähigkeit untersuchen zu lassen. Er kann natürlich weder schreiben noch telefonieren. Ihr müßt abends öfter zu ihm. Spät, wenn die Leute zu Hause sind wegen der Alarme. Das ist am unauffälligsten. Ihr macht das abwechselnd. Dr. Schröder ließ durchblicken, daß Angehörige überhaupt nichts über den Prozeß und die Urteile erfahren werden, bis alles herum ist. Das heißt, bis die Urteile rechtskräftig und vollstreckt werden. Die ganze Angelegenheit ist zur Geheimen Kommandosache erklärt worden. Er riskiert also sehr viel für uns. Darum müssen wir die nächsten paar Wochen die Nerven behalten.«

Ja, das mußten wir. Aber es war verdammt schwierig. Keine Besuchserlaubnis, obgleich Mutter dauernd nachfragte. Wir wunderten uns immer, daß man ihr die ewige Fragerei nicht rundweg verbot. Und dann Vaters Brief vom 5. Dezember. Übrigens der erste Brief, der nicht mit Bleistift, sondern mit Tinte geschrieben war: »Ich muß heute mit Dir über etwas reden, was mich beschäftigt, seit sich die Dinge hier geklärt haben. Es wäre mir lieber, dies mündlich tun zu können, aber wer weiß, wann wir uns wiedersehen. Und allein entscheiden kann ich das nicht. Da ich nicht mehr mit dem Schlimmsten rechne, fühle ich mich gedrängt, Dir und den Kindern die Unehre zu ersparen, die mich treffen wird. Ich weiß nicht, ob die Dauer meiner Strafe so kurz bemessen sein wird, daß Ihr auf mich warten könnt. Darum möchte ich Dir Deine Freiheit zurückgeben. Ich denke an Scheidung. Auch für die Kinder ist es einfacher, vom Vater zu sagen: ›geschieden‹, als sagen zu müssen: ›Zuchthaus‹. Aber vielleicht glaubt Ihr auch, sehr viele Jahre warten zu können. Sprecht einmal in Ruhe darüber, Ihr drei. Und dann auch mit Lore und Oskar ...«

Wir redeten lange über diesen Brief. Nicht über seinen Inhalt, sondern über die Gründe, die Vater bewogen haben mochten, ihn zu schreiben. Denn daß für uns die von ihm angeschnittene Frage als Frage überhaupt nicht existierte, wußte er ja wohl ganz sicher. Oder hatte ihn der nun schon fast zwei Monate währende psychische Druck doch so durcheinandergebracht, daß seine Überlegungen wirklich echt waren? Oder hatte man ihn gezwungen, so zu schreiben?

Am 9. Dezember fuhr Hannes spät abends zu Dr. Schröder. Er nahm den Brief mit. Aber sie kamen nicht dazu, auch noch darüber zu reden. Der Anwalt hatte gerade einiges über den Prozeßbeginn und über den vermeintlichen Termin des Urteils gesagt, da gab es Alarm. »Sie können nicht hierbleiben«, meinte er und schickte Hannes zum nächsten öffentlichen Luftschutzkeller.

Ab 14. Dezember Verhandlung. Einer Andeutung war zu entnehmen gewesen, daß außer Vater noch andere Personen vor Gericht stehen würden. »Fragen Sie am 18. oder 19. Dezember wieder nach.« Zehn Tage also noch ...

11. Dezember. Wir wollten gerade ins Bett, da läutete es. Es war kurz vor 10. Wer mochte so spät noch kom-

men? Hatte das etwas mit dem Besuch von Hannes bei Dr. Schröder zu tun? »Hannes, schau mal nach«, sagte Mutter, die gerade angefangen hatte, sich auszuziehen. Da ich noch angezogen war, begleitete ich ihn. Seit Vaters Verhaftung benutzten wir nie mehr den automatischen Türöffner für die Gartenpforte, sondern gingen immer selbst hin. An der Pforte stand ein Mann. Es war zu dunkel, um erkennen zu können, ob irgendwo noch mehr Leute oder ein Auto warteten.

»Guten Abend«, sagte Hannes, »was möchten Sie bitte?«

»Ich möchte Oberst Singelmann sprechen.«

»Meinen Vater? Der ist nicht zu Hause.«

»Wann ist er denn wieder zu Hause?«

»Das kann ich Ihnen leider nicht genau sagen. Mein Vater ist auf Dienstreise.«

»Auf Dienstreise?«

»Ja. Auf Dienstreise im Ausland.«

»Ist er schon länger fort?«

»Seit Mitte Oktober«, erwiderte Hannes.

Der Fremde schwieg einen Augenblick. Dann: »Könnte ich Ihre Frau Mutter vielleicht einmal sprechen?«

»Meine Mutter? Jetzt – so spät? Sie ist schon im Bett. Mit wem habe ich es denn zu tun?« fragte Hannes.

»Entschuldigen Sie bitte, daß ich mich noch nicht vorgestellt habe. Aber es ist vielleicht besser, wenn ich das Ihrer Mutter selbst sage.«

»Ich muß sehen, ob Mutter Sie noch empfangen kann«, sagte Hannes und ging ins Haus. Ich blieb an der Pforte stehen.

»Sind Sie die Tochter von Oberst Singelmann?« fragte der Fremde.

»Ja.«

»Ah – dann sind Sie Hanna?«

Woher wußte er meinen Namen? Zwei Möglichkeiten: entweder er ist ein guter Bekannter von Vater, und

Vater hat mit ihm auch über Privates geredet oder er ist von der Gestapo.

»Ja, ich bin Hanna.«

»Ihr Vater hat hin und wieder von Ihnen erzählt, wenn ich bei ihm zu tun hatte. Wir haben dann meistens noch irgendwo in der Stadt zusammen gegessen.«

Schweigen.

»Ihr Vater kommt doch sicher vor Weihnachten zurück?«

»Das ist noch unbestimmt.«

Der Fremde schien zu überlegen. Dann sagte er: »Diese Dienstreise Ihres Vaters kommt überraschend für mich. Ihr Vater hat nämlich immer regelmäßig bei mir in Leipzig angerufen. Allerdings jetzt schon länger nicht mehr. Aber es fiel mir nicht auf, weil ich keine Aufträge brauchte. Aber jetzt brauche ich wieder welche. Es wundert mich, daß er im Ministerium nichts für mich hinterlassen hat.«

»Waren Sie im RLM?« fragte ich und konnte meine Überraschung nicht ganz verbergen.

»Ja.«

Gerade wollte ich fragen, was man ihm dort gesagt hätte, da kamen Mutter und Hannes.

»Sie möchten mich sprechen?« fragte Mutter, machte aber keine Anstalten, ihn hereinzulassen.

»Ja, ich wäre Ihnen sehr dankbar, wenn Sie ein Viertelstündchen Zeit hätten.«

Mutter überlegte. Da sagte der Fremde, und seine Stimme war sehr eindringlich: »Bitte, es ist sehr wichtig.«

»Nun gut«, sagte Mutter und schloß die Pforte auf. Drinnen im Haus sahen wir sofort, daß der Fremde bestimmt nicht von der Gestapo war. So etwas merkt man, wenn man öfter mit Gestapo-Leuten zu tun hat.

»Mein Name ist Vorberg«, sagte der Fremde, ehe er seinen Mantel ablegte. »Ich weiß nicht, ob Ihr Mann Ihnen von mir erzählt hat.«

»Ich kann mich im Augenblick nicht erinnern«, erwiderte Mutter, »doch legen Sie bitte ab und kommen Sie herein.«

Wir gingen in Vaters Arbeitszimmer und setzten uns. Der Fremde blickte Mutter an, dann Hannes und mich. »Es wäre mir lieber, wenn ich mit Ihnen allein sprechen könnte«, sagte er.

»Wieso?« fragte Mutter. Hannes beugte sich vor.

»Über gewisse Dinge sollte man eigentlich gar nicht reden. Ein Paar fremde Ohren sind da schon zu viel. Geschweige drei Paar.«

»Was wollen Sie damit sagen?« fragte Hannes scharf.

»Damit will ich sagen, daß ich mit Ihrer Mutter etwas besprechen möchte, was ich eigentlich mit Ihrem Vater besprechen wollte. Und das ist nicht für viele Ohren bestimmt.«

Hannes wurde sehr rot. Hoffentlich explodiert er nicht, dachte ich. Mutter dachte wohl das gleiche, denn sie legte ihre Hand auf Hannes' Arm und sagte: »Meine Kinder sind zuverlässig und können schweigen. Sprechen Sie nur.«

»Bitte, sagen Sie mir: Wo ist Ihr Mann?«

»Mein Mann? Mein Mann ist auf Dienstreise. Hat Ihnen das nicht mein Sohn schon gesagt?«

»Ja, das hat er. Man hat es mir auch im RLM gesagt. Aber ich weiß nicht – irgendwie habe ich ein ungutes Gefühl. Zumal auch die Sekretärin Ihres Mannes nicht da war. ›Sie ist in eine andere Abteilung versetzt worden‹, sagte man mir. Aber man versetzt doch eine Sekretärin nicht einfach in eine andere Abteilung, wenn man den Chef zurückerwartet über kurz oder lang.«

Mutter schwieg. Ihr Gesicht wirkte starr.

»Bitte – können Sie mir wenigstens sagen, wann Ihr Mann zurückkommt? Sie müssen doch irgendwelche ungefähren Daten kennen.«

»Sie haben gehört: Mein Mann ist auf Dienstreise im Ausland. Die Dauer dieser Reise ist unbestimmt. Ich glaube, wir können unser Gespräch damit als beendet betrachten.« Mutter stand auf, Hannes ebenfalls.

»Nein – das können wir nicht!« rief Herr Vorberg, und es klang ehrlich verzweifelt. »Dann will ich Ihnen sagen, worum es sich handelt. Obgleich es mir nicht recht ist, daß Ihre Kinder dabei sein sollen. Ich kenne Ihren Mann schon sehr lange, von Klappholt-Tal her ...«

Ich sah, wie Mutter bei dem Namen zusammenzuckte.

»... Ich bin der Inhaber und Leiter der Großdruckerei Beckmann, Leipzig. Ich arbeite seit Jahren mit Ihrem Mann zusammen. Er hat mir regelmäßig kriegswichtige Druckaufträge aus dem ganzen RLM verschafft, aus allen Abteilungen. Auch noch von anderen Stellen. Ich brauche diese Aufträge auch weiterhin. Und jetzt brauche ich sie sogar ganz dringend.«

»Warum?« fragte Hannes.

Herr Vorberg sah meinen Bruder an, dann Mutter und mich. »Ich brauche diese Aufträge, weil ich Leute beschäftige, die ich eigentlich nicht beschäftigen dürfte: Kommunisten, Juden. Ich kann diese Leute nur halten, wenn ich genügend kriegswichtige Aufträge habe. Die letzten sind in wenigen Tagen fertig. Bekomme ich keine neuen, nimmt man mir die Leute weg. Und was das für diese Menschen bedeutet, brauche ich Ihnen nicht zu sagen. Ein paar könnte ich verstecken oder untertauchen lassen. Aber nicht alle.«

Hannes und ich sahen Mutter an. Sie hatte noch immer ihr starres Gesicht. Ganz langsam lösten sich ihre Züge. Dann sagte sie: »Diesmal wird mein Mann Ihnen leider nicht helfen können. Er ist vor zwei Monaten von der Gestapo verhaftet worden.«

»Wie bitte?« fragte Herr Vorberg und wurde bleich.

»Ja, Sie haben richtig gehört«, erwiderte Mutter. Und dann fing sie an zu erzählen. Alles. Ich ging zwischendurch in die Küche und strich eine Platte Brote. Feine Brote. Mit Dauerwurst und Käse aus Holland.

Bis tief in die Nacht hinein saßen wir zusammen. Herr

Vorberg hatte viele Beziehungen. Mehr als alle Leute, die wir kannten. Hohe Militärs, Parteifunktionäre und Presseleute. Und die hatten Drähte bis in die Reichskanzlei. Es war fast nicht zu glauben, was da an Möglichkeiten auftauchte.

Als wir schließlich schlafen gingen, hatten wir das Gefühl, daß unendlich viel für Vater geschehen war.

»Vorerst kann ich Ihnen keine Besuchserlaubnis geben«, sagte Herr Ströhler, als Mutter ihn am 14. Dezember wieder einmal bedrängte. Wir wußten, was dieses »vorerst« bedeutete: so lange der Prozeß läuft.

»Er hat's geschafft!« sagte Hannes schon unter der Haustür, als er am 18. Dezember spät abends von Dr. Schröder zurückkam. Er war erschreckend bleich. »Der Staatsanwalt hat Todesstrafe beantragt. Aber Dr. Schröder hat ihn aus dem Prozeß herausgekriegt. Der Fall Singelmann ist vom Hauptverfahren abgetrennt worden. Vater wird tatsächlich auf geistige Zurechnungsfähigkeit untersucht. Es bestehen alle Chancen, daß er für zurechnungsunfähig erklärt wird. Schröder hat seine ganze Verteidigung darauf abgestellt. Und Vater scheint die Rolle gut gespielt zu haben. Auch schon in seinen schriftlichen Aufzeichnungen. Schröder sagt, sogar die Richter wären ganz deutlich erleichtert gewesen über diese Möglichkeit und den Aufschub.«

Mutter fragte nur: »Und bis wann etwa wird diese Untersuchung durchgeführt?«

»In diesem Jahr bestimmt nicht mehr. Erst irgendwann im Januar.«

Irgendwann im Januar. Noch einmal wieder eine Frist. Warten, hoffen. Der Zustand war entsetzlich.

Hatten wir uns nicht in der Hand, dann konnten wir nur denken: Todesurteil. Aber dann gab es auch Stunden, in denen unsere Hoffnung so groß war, daß wir

Vater schon als nicht zurechnungsfähig in irgendeiner Pflegeanstalt sahen oder in einem entsprechenden Gefängnis.

»Das wäre die Rettung«, sagte Hannes, »der Krieg geht bestimmt nicht ewig.«

Nein, ewig bestimmt nicht. Seit die Alliierten in Nordafrika gelandet waren, tauchten von unserem Afrikakorps im Wehrmachtsbericht dauernd Formulierungen auf wie »planmäßige Räumung« oder »erfolgreiches Absetzen«. Generalfeldmarschall Rommel, der Wüstenfuchs, der noch Anfang Oktober davon gesprochen hatte, er werde Ägypten erobern, befand sich auf dem Rückzug. Einem sehr raschen Rückzug. Das Tempo der planmäßigen Räumungen wenigstens war beachtlich.

Und im Osten hatte seit Mitte November eine große russische Offensive begonnen. Die Russen waren in unsere Verteidigungsfront im Don-Bogen und südwestlich von Stalingrad eingebrochen. Es war ihnen gelungen, Stalingrad einzukesseln. Gerüchte sprachen von 80 000 bis 100 000 eingeschlossenen Soldaten, andere sogar von 150 000. War das der Anfang vom Ende? Wir dachten nicht darüber nach. Was auf den beiden Kriegsschauplätzen geschah, interessierte uns nur im Blick auf Vater.

Wir entschlossen uns, nun doch unseren nächsten Verwandten und Freunden zu sagen, was es mit Vaters Dienstreise auf sich hatte. Keiner, der Angst gezeigt oder sich zurückgezogen hätte. Alle standen zu uns. Alle boten ihre Hilfe an, auch finanziell. Doch Mutter konnte sie beruhigen: bisher war Vaters Gehalt immer pünktlich am Monatsende gekommen.

Besuchserlaubnis! Am 23. Dezember. Für uns alle. Ströhler sagte zu Mutter: »Ihr Mann ist nicht mehr bei uns. Aber kommen Sie bitte hierher. Wir lassen ihn holen.«

Diesmal bekamen wir alle einen Passierschein an der Pforte. Dann gingen wir die breite Treppe hinauf, Mutter vorweg, sehr rasch. Hannes neben mir. Er hielt meine Hand. Mit seinem Mittelfinger streichelte er meinen Handrücken. Ich flog vor Aufregung, trotz der Beruhigungstablette. Wie Mutter und Hannes das nur machten – hier einfach die Treppe hinaufzugehen, als wäre es die Treppe im Finanzamt. Und dabei sollten wir Vater sehen – Vater, für den der Staatsanwalt die Todesstrafe beantragt hatte, und dessen Leben von den Gutachten einiger Psychiater abhing. Ob er überhaupt ahnte, daß wir wußten?

Er war noch nicht da. Wir mußten ziemlich lange warten in dem kleinen Zimmer. Am Schreibtisch saß ein SS-Führer und blätterte in Papieren. Wir setzten uns auf eine Bank an der Wand. Vor uns ein Tisch mit drei Stühlen.

Da – die Tür geht auf. Vater. Zwischen zwei SS-Leuten. In seinem grauen Anzug, offenem Hemdkragen, etwas schmaler geworden, aber nur etwas. Er blickt uns nacheinander an, ganz ruhig. Seine Augen scheinen mir unheimlich groß. Hatte er immer so große Augen? Oder habe ich etwa in zweieinhalb Monaten Vaters Augen vergessen? Er kommt auf uns zu, bleibt vor dem Tisch stehen, reicht Mutter über den Tisch hin die Hand, dann Hannes, dann mir. Er sagt: »Daß ich euch sehen darf, das ist das schönste Weihnachtsgeschenk meines Lebens.«

Er setzt sich auf einen Stuhl uns gegenüber, legt die Hände auf den Tisch. Die beiden SS-Leute, die ihn gebracht haben, treten an den Schreibtisch.

»Ja, auch für uns ist es ein großes Geschenk«, sagt Mutter. Vater blickt uns wieder nacheinander an, lange, schweigend. Auch wir schweigen. Was soll man sich auch sagen, wenn man von drei SS-Leuten beobachtet wird? Wenn man sich nicht einmal anrühren darf? Wenn man weiß, daß dies vielleicht für sehr lange Zeit das letzte

Wiedersehen ist? Wenn die Angst, dies könnte das allerletzte Wiedersehen sein, das Herz stocken läßt, den Atem abschnürt? Da ist es besser, schweigend die Augen ineinander zu versenken. Nach einer langen Weile sagt Vater: »Wie sich doch die Erinnerung an die Liebsten trüben kann. Ihr scheint euch alle verändert zu haben.«

»Wundert dich das?« fragt Mutter.

»Nein, eigentlich nicht.« Dann zu Hannes: »Ich wußte gar nicht, daß ich einen so erwachsenen Sohn habe. Du bist ein Mann geworden, Strups.« Strups – das war der Kosename aus Hannes' Kindertagen. Vater hatte ihn lange nicht mehr benutzt. »Und du wirst auch Haltung haben wie ein Mann, nicht wahr? Mutter und Hanna werden dich sehr brauchen. Du hast eine große Verantwortung.«

»Ich weiß es, Vater. Du kannst dich auf mich verlassen.«

»Das ist ein gutes Wort. Ich danke dir. Ich bin stolz auf dich.«

»Ich bin auch stolz auf dich, Vater, sehr stolz. Ganz gleich, was kommt.«

»Auch das ist ein gutes Wort, mein Junge. Ich werde es mitnehmen in meine Einsamkeit. Da braucht man viele solcher Worte. Sie müssen nicht alle ausgesprochen sein, verstehst du? Wir sind ja beide nicht gemacht, einander große Worte zu sagen. Wir kennen uns zu gut. Manchmal habe ich Angst gehabt um dich in den letzten Wochen. Ich weiß, wie verletzlich du bist. Aber da sah ich dich vor mir als einen Jungen, als Heranwachsenden. Nicht als Mann. Und das bist du wirklich geworden in den zehn Wochen.«

Hannes schluckt. Da wendet sich Vater mir zu: »Auch um dich, Kind, habe ich Angst gehabt. Und wenn ich ehrlich sein soll, habe ich auch jetzt noch Angst. Mädchen sind nun einmal weicher als Jungen. Nein, nein, schüttle nicht den Kopf, Hannalein. Ich kenne die kleine

Kratzbürste. Deine Sprödigkeit ist wie ein Mantel, den du dir umhängst. Du willst verstecken und schützen, was darunter ist. Du tust das nicht bewußt. Ich wünsche dir, daß du später einmal einem Menschen begegnest, der diesen Mantel sieht und ihn abstreift. Damit du dich ganz entfalten kannst. Du hast viel Ähnlichkeit mit deiner Mutter. Sie war gerade 18, als ich sie kennenlernte. Du brauchst viel Liebe. Ich wünsche sie dir für dein ganzes Leben.«

Vater sagt das alles sehr ruhig und blickt mich an dabei. Auch in seinem Gesicht ist nicht die Spur einer Erregung zu erkennen, nicht einmal in seinen Augen. Ich aber versage. Ich muß einfach weinen, trotz der Beruhigungstablette. Nicht laut, aber die Tränen laufen mir die Wangen hinunter.

»Du mußt nicht weinen, Kind«, sagt Vater. »Auch wenn ich Dinge sage, die sich sehr ernst anhören, ernst und endgültig. Ich wußte seit zwei Tagen, daß ihr kommt. Da habe ich viel Zeit gehabt, darüber nachzudenken, was ich euch sagen will. Wer weiß, wann wir uns wiedersehen. Wer weiß, ob wir uns überhaupt noch einmal wiedersehen. Es ist ja eine große Ausnahme, daß Kinder Besuchserlaubnis bekommen. Und wenn nicht Weihnachten wäre, hätte bestimmt auch nur Mutter kommen dürfen. Weihnachten – ich möchte, daß ihr ein paar Kerzen anzündet. Um fünf Uhr. Da bin ich dann ganz bei euch.«

»Wir haben dir auch eine Kerze mitgebracht«, sagt Mutter und stellt das Päckchen auf den Tisch. »Und sonst noch ein bißchen Weihnachtliches. Du darfst es bekommen.«

»Dann feiere auch ich Weihnachten. Eine ernste, stille Weihnacht. Wir denken alle vier daran, wie es war, wenn wir auf der Eckbank beisammensaßen und in den Tannenbaum blickten. Irgendwann werden wir das vielleicht wieder tun können. Daran müßt ihr morgen denken. Solange noch Hoffnung besteht, müßt ihr hoffen.«

»Das tun wir auch«, sagt Mutter, »und tun es jetzt sogar mehr als vor einer Woche. Es ist ja merkwürdig mit der Hoffnung: Ein gutes Gespräch kann sehr viel bewirken.«

»Es freut mich für euch, wenn ihr gute Gespräche hattet«, erwidert Vater.

»Ja, etliche. Zum Beispiel auch mit sehr liebem Besuch aus Leipzig.«

Nur einen Augenblick denkt Vater nach. Dann: »Ja, ich schätze meinen Leipziger Freund sehr. Einer von den wirklichen Freunden. Ihr braucht im übrigen um unsere Freunde und Verwandten nicht zu bangen. Sie werden keine Nachteile durch meinen derzeitigen Aufenthalt haben. Niemand. Diese Dinge sind endgültig geklärt. Also weder Lore noch Oskar, noch Oma und Opa, auch nicht Qualtingers – niemand. Und natürlich auch nicht der Leipziger Freund, dessen menschliche Qualitäten ich übrigens sehr hoch einschätze.«

Mutter darauf: »Wir auch. Wir hatten ja auch seit langem mal wieder Zeit und Ruhe, miteinander zu reden.«

»Das ist gut.«

»Soll ich ihm irgend etwas ausrichten von dir, wenn er wiederkommt?«

»Kommt er bald wieder?«

»Ja.«

»Dann sage ihm, er möge sich im RLM an Major Eichler wenden wegen der Aufträge.«

»Ich will es ihm ausrichten.«

Einer der SS-Leute tritt an unseren Tisch und sagt: »Die Zeit ist um.«

Vater steht auf. Wir auch. Zwischen uns der Tisch. An dem Tisch der SS-Mann. Vater sagt zu Mutter: »Frage bitte öfter nach Besuchserlaubnis bei Herrn Ströhler nach. Zwischen den Festtagen wird es vielleicht möglich sein. Im neuen Jahr wird es wohl schwieriger damit.«

»Ich werde es probieren«, erwidert Mutter.

Über den Tisch hin streckt Vater uns die Hände entgegen. Hannes ergreift die Linke, ich die Rechte. Ich küsse Vaters Hand. Er streicht mir übers Haar. Dann streckt er Mutter die Hände über den Tisch entgegen. »Wir werden uns sicher bald wiedersehn, Liebste. Du bist heute etwas zu kurz gekommen.«

»Nein, das bin ich nicht. Es sind ja unsere Kinder.«

»Ja. Sie sind ein großes Glück. Für dich und mich.«

Vater dreht sich um, geht zur Tür. Die beiden SS-Männer folgen ihm. Unter der Tür wendet er sich noch einmal zurück und schaut uns an. Seine Augen sind sehr groß.

Mutter bekam keine Besuchserlaubnis zwischen den Festtagen. Ströhler sagte: »Ihr Mann ist nicht mehr bei uns. Es ist zu schwierig, ihn holen zu lassen, jetzt zwischen den Jahren.« Über Dr. Schröder erfuhren wir, daß er bis zur Wiederaufnahme des Verfahrens Mitte Januar im Spandauer Gefängnis war.

Am 12. Januar 1943 wurde mein Vater zum Tode verurteilt. Wehrkraftzersetzung. Die Gerichtsmediziner hatten ihn für voll zurechnungsfähig erklärt. Nur Hitler mußte das Urteil noch bestätigen. Doch Hitler war zur Zeit nicht in Berlin, sondern weilte in seinem Hauptquartier.

Am 14. Januar war Herr Vorberg da. Er hatte alles vorbereitet, wie es für den Fall eines Todesurteils besprochen worden war. Für Gnadengesuche hatte er einen direkten Weg in die Reichskanzlei zum persönlichen Adjutanten des Führers aufgetan, desgleichen zum Reichsmarschall Göring. Herr Vorberg und Mutter setzten die Gesuche auf.

»An die Kanzlei des Führers der NSDAP. Hauptamt für Gnadensachen. Berlin-W. Voß-Str. 4.

Mein Führer! . . .«

Mit Herrn Vorbergs Hilfe gelang es Mutter tatsächlich, das Gesuch bis zum persönlichen Adjutanten Hitlers zu bringen. Auch zu Göring öffneten sich die Türen. Als Mutter zurückkam, war sie so froh, als hätte der Führer ihrer Bitte bereits entsprochen.

Außerdem bekam sie zwei Tage später Besuchserlaubnis für das Spandauer Gefängnis. »Die Atmosphäre dort ist besser als in der Prinz-Albrecht-Straße«, erzählte sie. »Nur ein Beamter zur Aufsicht. Aber wir konnten so offen reden, als wären wir allein gewesen. Nicht über den Prozeß, aber über alles, was jetzt noch getan werden kann. Vater hat auch Gnadengesuche geschrieben. Wenn sie Gehör finden, erfahre ich es sofort.«

»Und . . . und wenn sie kein Gehör finden?« fragte Hannes stockend.

»Dann bekomme ich auch Nachricht. Doch kann ich trotzdem jeden Tag in Spandau anfragen. Immer am Nachmittag.«

»Warum erst nachmittags?« fragte ich und erschrak über Mutters Gesicht, das jäh verfiel. Sie sah uns an. Dann, sehr leise: »Weil die Vollstreckung von Todesurteilen immer bis mittags bekanntgegeben wird.« Sie stand auf und ging die Treppe hinauf. Wir hörten, wie sie sich im Schlafzimmer einschloß.

Hannes nahm meine Hand. Wir schauten zum Fenster hinaus in die Kiefer, die unter der Last des Schnees ihre Zweige zu Boden senkte.

Wir lernten, mit dem ständigen Gedanken an Vaters möglichen Tod zu leben. Wir gingen sogar zur Schule. Was hätten wir auch zu Hause bleiben sollen? Das, worauf wir täglich warteten, erfuhren wir ja immer erst am Nachmittag. Mutter sah elend aus und alt. Sie schlief wohl kaum noch. Wenn sie in die Stadt fuhr, um sich mit irgendwelchen einflußreichen Leuten zu treffen, die vielleicht noch etwas für Vater tun konnten, schminkte sie sich stark. Zu stark. Sie bekam dann ein ganz fremdes Gesicht, in dem nur noch die Augen lebendig waren.

Wir versuchten alle, uns außerhalb des Hauses nichts anmerken zu lassen. Das schien auch zu gelingen. Nur meine Klassenlehrerin, die mich sehr mochte und die auch ich sehr mochte, nahm mich einmal beiseite und fragte: »Hanna, du siehst in letzter Zeit so schlecht aus. Fehlt dir etwas?«

Ich schüttelte den Kopf und schluckte.

»Aber du machst mir Kummer. Soll ich mal mit deiner Mutter reden?«

»Bitte nicht«, erwiderte ich.

»Möchtest du vielleicht mal nachmittags zu mir kommen zu einer Tasse Tee – echtem schwarzem Tee?«

»Danke. Jetzt nicht. Vielleicht später einmal.«

Als Mutter am 1. Februar nachmittags in Spandau anrief, sagte man ihr: »Ihr Mann ist abtransportiert worden.«

Hannes und ich standen neben ihr am Telefon. Wir verstanden jedes Wort.

»Abtransportiert? Wohin?«

»Ins Wehrmachtsuntersuchungsgefängnis Lehrter Straße.«

»Was . . . was hat das zu bedeuten?«

»Bitte beunruhigen Sie sich nicht. Das hat gar nichts zu bedeuten. Alle höheren Offiziere kommen dorthin, so lange über ihren Fall nicht endgültig entschieden ist.«

»Und wo ist dieses Gefängnis?«

»Lehrter Straße 61.«

Mutter fuhr sofort in die Lehrter Straße. Hannes begleitete sie. Ich fühlte mich nicht wohl und blieb zu Hause. Als sie zurückkamen, sagte Mutter: »Man war dort sehr zuvorkommend und höflich. Es machte alles einen viel besseren Eindruck als in Spandau oder in der Prinz-Albrecht-Straße. Das hat wohl auch mit Vaters Rang zu tun. Wir dürfen ihm schreiben, auch er hat Schreiberlaubnis. Anrufen kann ich allerdings nicht mehr wie bisher in Spandau.«

»Und warum nicht?« fragte ich.

»Ich weiß es nicht.«

»Und wie geht es weiter?«

»Abwarten.«

»Aber das ist ja entsetzlich!« fuhr es mir heraus. »Immer so weiter warten!«

»Ja, Kind, das ist entsetzlich. Aber ich sage mir immer: Dieses entsetzliche Warten schließt noch die Hoffnung ein. Und ich weiß nicht – irgendwie habe ich ein besseres Gefühl jetzt.«

Hannes nickte.

»Ja, ein gutes Gefühl. Vielleicht haben Vaters und meine Gesuche diese Veränderung bewirkt. Aber wir dürfen trotzdem nicht vergessen: Todesurteil. Und so lange Vater nicht begnadigt ist, müssen wir mit dem Schlimmsten rechnen.«

Am 5. Februar wieder ein Brief von Vater. ». . . Als mir in Spandau versehentlich gesagt wurde, ich müsse heute meinen letzten Gang antreten, hat mich dieses Wort nicht mehr getroffen. Ich war so ruhig und gelassen, daß alle erstaunten. Ich habe mir dann sagen lassen, daß von zehn Menschen neun mit einer bewundernswerten Ruhe, Sicherheit und Gelassenheit, manche sogar lächelnd, diesen letzten Gang angetreten seien. Ich werde zu den neun gehören. Und wenn es mir gelingt, meine Gedanken auf Euch zu konzentrieren, dann werde ich sogar zu denen gehören, die lächeln konnten.

Ich sehne täglich den Mittag herbei, weil sich jeweils bis dann entschieden hat, ob ich das Morgengrauen des nächsten Tages noch sehen darf. Und am Mittag sehne ich den Abend herbei, um mich ins Dunkel der Nacht und des Schlafes zu flüchten. Ja, ich kann schlafen, denkt Euch nur. Es ist ein Wunder.

Neulich nacht habe ich geträumt, mein derzeitiges Schicksal. Ich erschrak im Traum über dieses Schicksal, doch wußte ich träumend gleichzeitig, daß dieses Schicksal ja nur ein Traum sei. Als ich erwachte und noch nicht zu mir gekommen war, griff ich nach links, nach Deiner Hand. Ich meinte, ich müßte Dir den Traum sofort erzählen. Aber ich griff an die kalte Wand.«

Am 8. Februar wurde ich krank. Irgendeine Infektion mit hohem Fieber. Am 9. Februar durfte Mutter Vater besuchen. Da sie für uns Kinder keine Besuchserlaubnis bekommen hatte, fand ich es nicht schlimm, im Bett liegen zu müssen. Am Abend kamen Tante Lore und Onkel Oskar. Sie waren sehr oft bei uns gewesen in den letzten Wochen. Daß sie heute kamen, war gut für uns alle. Mutter war seit langem zum ersten Mal aus ihrer Erstarrung aufgewacht. Sie setzten sich alle in mein Zimmer und Mutter erzählte: »... Ich durfte die ganze Zeit seine Hände halten. Ich durfte ihn sogar küssen. Der Aufsichtsbeamte ging zwischendurch immer wieder hinaus, und wir waren minutenlang für uns. Franz hat mir dann so viel Liebes gesagt, ganz ruhig, ganz gelöst – fast glücklich, möchte ich meinen. Alle Angst und alles Schwere waren abgefallen. Ich glaube, er hat die Stunden ähnlich empfunden. Zum Schluß durfte er mich sogar in den Arm nehmen. ›Bis bald, Liebste‹, sagte er, als er ging. Zum ersten Mal, seit sie ihn geholt haben, habe ich das sichere Gefühl, daß wir ihn wiederbekommen werden, irgendwann.«

Wie froh waren wir an jenem 9. Februar! Onkel Oskar sagte schließlich: »Ich habe euch etwas mitgebracht. Ich kann es euch wohl schenken, wo es dir heute bei Franz so gut gegangen ist.« Und er zog drei Opernkarten aus der Tasche, Karten für Beethovens ›Fidelio‹. Für morgen, den 10. Februar. »Ich glaube, das Stück ist gerade jetzt wie für euch gemacht. Nur schade, daß du nicht mit kannst, Hanna.« Nein, das konnte ich wirklich nicht. Ich hatte wieder über 39 Fieber. »Wenn es euch recht ist, kann Lore ja mitgehn.«

Am nächsten Tag hatte ich noch höheres Fieber. Der Arzt konnte keine eindeutige Diagnose geben, und Mutter wollte auf keinen Fall in die Oper. Hannes wandte seine ganzen Überredungskünste an, und ich drängte auch immer wieder. Da ging sie schließlich doch. »Wir sind ja nicht so spät zurück«, meinte sie im Fortgehn. Wegen der Alarme fingen die Theater schon um 18 Uhr an.

Während Hannes und Mutter ›Fidelio‹ hörten und sahen, wie Leonore ihren Florestan aus dem Kerker befreit und ihm die Fesseln löst, hatte ich einen schrecklichen Traum. Und er fing doch so schön an: Ich stand auf einer großen Wiese im Sonnenschein, wußte aber nicht, wo diese Wiese war. Ich wußte nur, daß Mutter mich irgendwohin geschickt hatte. Wohin hatte ich vergessen. Auch wenn ich es noch gewußt hätte, hätte mir das nicht viel genützt, denn ich kannte die Wiese ja gar nicht und wußte also nicht, wohin man von dort aus gelangen konnte.

Als ich noch so herumstand und überlegte, was ich tun sollte, sah ich aus der Ferne jemanden auf mich zukommen. Zuerst konnte ich nicht erkennen, wer es war. Doch dann erkannte ich: Es war Ruth. Sie winkte mir und lachte dabei und sah so fröhlich aus wie immer, wenn sie gelacht hatte. Ich wunderte mich im Traum, daß Ruth wieder da war, denn träumend wußte ich, daß sie ja eigentlich tot war. Ich ging ihr entgegen. Da drehte sie sich plötzlich um und fing an wegzulaufen. Ich lief hinterher. Sie wandte sich im Laufen ein paarmal zurück und lachte dabei. Aber plötzlich war ich nicht mehr auf der Wiese, sondern in einer kargen Hügellandschaft. Von irgendwoher war mir diese Landschaft vertraut. Agaven und Ginster. Natürlich – das war die Landschaft bei dem Tempel von Segest. Ruth lief noch immer vor mir her, nun einen Hang hinauf. Über dem Hang tauchte der Tempelfries auf. Noch einmal wandte sie sich zu mir um, und ich sah ihr lachendes Gesicht. Dann war sie verschwunden.

Ich war ganz außer Atem und stieg nun langsam weiter hinauf. Vor mir wuchsen die Säulen empor, je höher ich kam. Und da – an der Säule dort, das war Erik. Ja, wirklich Erik. So hatte ich ihn damals stehen sehn, als ich noch von unserer Italienreise träumte. Er breitete die Arme aus. Ich fing wieder an zu laufen, um möglichst rasch zu ihm zu kommen. Ich war sehr glücklich. Aber so schnell ich auch lief – Erik, der noch immer an der Säule lehnte, entfernte sich mitsamt der Säule ebenso rasch. Ich sah sein Gesicht und ganz deutlich seine dunklen Locken und konnte ihn einfach nicht erreichen. Das war schrecklich.

Aber war das jetzt überhaupt noch Erik? Nein – das war Vater. Er blickte mich an. Todernst. Mit riesigen Augen. Noch viel größeren Augen, als ich sie von unserem letzten Wiedersehen in Erinnerung hatte. Und da waren sie mir doch schon so unheimlich groß erschienen. Warum nur hatte er so riesengroße Augen? Nun hob er die Arme. Wollte er mich heranwinken? Ich wußte die Geste nicht zu deuten. Nein. Das war kein Winken. Abwehrend streckte er die Hände vor. Mit seinen übergroßen Augen blickte er mich noch immer todtraurig an. Aber was war nur mit diesen Augen los? Das waren plötzlich gar nicht mehr Vaters Augen, Vaters lebendige helle Augen, die mich ansahen. Das waren die starren, leblosen Augen eines Toten. Vater war tot. Ich weinte im Traum. Dann wachte ich auf. Mein Gesicht war naß von Tränen. Im Aufwachen dachte ich: Vater ist tot. Da mußte ich noch mehr weinen.

Gut, daß Hannes und Mutter erst lange nach diesem Traum zurückkamen. Ich hatte mich inzwischen beruhigt und meine verheulten Augen mit einem Waschlappen gekühlt. Mutter und Hannes merkten bestimmt nichts. Außerdem hatte ich ja hohes Fieber, und davon konnte man schon verquollene Augen haben.

»Kind, es war so schön und tröstlich«, sagte Mutter, »gerade jetzt in diesen Tagen diese Oper! Nun glaube ich wirklich an Vaters Begnadigung.«

Konnte ich da noch länger über meinen Traum nachsinnen?

Am 11. Februar war Mutter wieder in der Stadt, um sich mit irgend jemandem zu treffen. Hannes hatte diese Woche nachmittags Schule. Mir ging es etwas besser. Das Fieber hatte nachgelassen, aber ich fühlte mich sehr schlapp. Um halb vier Uhr läutete es. Ich zog den Bademantel über und öffnete das Fenster. An der Pforte stand ein Mann. Ich kannte ihn nicht. Er blickte auf unsere Haustür. Ich rief: »Hallo, hier oben bin ich. Guten Tag.«

Der Mann sah zu mir herauf und fragte: »Ist Frau Singelmann daheim?«

»Nein, meine Mutter ist in der Stadt.«

»Und wann kommt sie zurück?«

»Das weiß ich nicht, es kann spät werden.«

»Ist sie morgen daheim, vielleicht am Vormittag?«

»Das weiß ich leider auch nicht. Meine Mutter ist zur Zeit viel unterwegs.«

»Gut, ich werde es morgen vormittag noch einmal probieren.«

»Kann ich ihr irgend etwas ausrichten?«

»Nein danke. Ich muß sie selber sprechen. Auf Wiedersehn.«

Ich schloß das Fenster, ging wieder ins Bett und dachte

nicht weiter über den Mann nach. Seit Herr Vorberg zum ersten Mal bei uns gewesen war, hatte Mutter so viele Leute kennengelernt. Wahrscheinlich war das irgend jemand, den sie wegen Vater bemüht hatte. Ich erwähnte abends nur kurz den Besucher, und Mutter erwiderte: »Wenn er morgen früh wiederkommt, bin ich ja daheim.«

Er kam wieder. Ich war gerade kurz aufgestanden, als es läutete, und sah, wie Hannes ihn hereinließ. Dann ging ich wieder ins Bett. Nach ein paar Minuten hörte ich unten einen Schrei, einen unterdrückten, hohen Schrei. Ich sprang aus dem Bett und stürzte die Treppe runter, während ich versuchte, in die Ärmel meines Bademantels zu schlüpfen. Ich riß die Tür zu Vaters Arbeitszimmer auf. In dem einen roten Sessel saß Mutter, zusammengesackt, beide Hände vor das Gesicht gepreßt. Der fremde Mann stand neben ihr und hatte seine Hand auf ihren Kopf gelegt. In dem anderen roten Sessel saß Hannes. Er starrte mich an, stand auf, unendlich langsam stand er auf, kam auf mich zu, nahm mein Gesicht in beide Hände und sagte: »Vater ist tot. Das Urteil ist vollstreckt worden. Am 10. Februar, abends 18 Uhr.«

Was dann geschah, weiß ich nicht mehr genau. Der Fremde war ein Pfarrer. Er hatte Vater kurz vor seiner Hinrichtung in Plötzensee das Abendmahl gereicht. Von allem, was er sagte, blieb mir nur hängen: »Ihr Mann ist sehr standhaft gestorben. Sehr ruhig. Auf seinem Gesicht lag ein Lächeln.«

Ich bekam einen Schüttelfrost. Meine Zähne schlugen aufeinander. Ich sah Vater vor mir, wie ich ihn im Traum gesehen hatte, mit seinen großen, todtraurigen Augen, die plötzlich erloschen waren.

Später fand ich mich in meinem Bett wieder. Hannes saß auf der Bettkante. Mutter lag auf der kleinen Couch, die als Gästebett in meinem Zimmer stand. Sie hatte ein feuchtes Tuch über Stirn und Augen gelegt. Sie war sehr still. Nur an ihren Händen sah ich, daß sie weinte.

Die nächsten Tage verschwammen für mich wie hinter einem Schleier. Ich war nicht ganz bei mir. Das Fieber war zurückgekehrt, höher als zu Beginn der Krankheit. Hannes pflegte mich. Er legte mir Eisbeutel auf die Stirn und wechselte die Bettücher, wenn sie durchgeschwitzt waren.

Mutter mußte mehrmals in die Stadt. Großvater begleitete sie auf diesen Gängen. Auf irgendeiner Stelle in Moabit bekam sie Vaters Sachen zurück, seine Kleidung, ein paar Bücher, die wir ihm hatten schicken dürfen, den Trauring, die Uhr, einige Papiere. Dann mußte sie zu einer anderen Stelle in die Stadt, wo sie Vaters Urne ausgehändigt bekommen sollte. Doch man sagte ihr dort sehr kühl: »Die sterblichen Überreste Hingerichteter werden an die Angehörigen nicht herausgegeben.« Gut, daß sie nicht allein unterwegs war, sondern mit Großvater. Sie wäre sonst wohl nicht nach Hause gekommen.

Unter Vaters Papieren sein Testament, dann ein paar Stichworte für eine Trauerfeier und sein letzter Brief. Gedruckter Briefkopf: Name des Briefschreibers. Dahinter von Vaters Hand: Franz Singelmann. Dann wieder gedruckt: Berlin-Plötzensee, Königsdamm 7. Und von Vaters Hand: 10. Februar 1943.

Meine Liebsten!

Nun ist es doch so ganz anders gekommen! Gestern noch saßen wir hoffend beisammen, heute erlischt mein Leben. Wir wollen dankbar sein, daß wir ohne die schwere Gewißheit gestern noch einmal diese letzte Stunde hatten, in der wir so innig beisammen sein durften, Liebste.

Jetzt bleibt mir nur noch, Euch für Eure Liebe zu danken. Ich habe sie allzeit gespürt. Ohne Euch wäre mein Leben leer gewesen. Dank, daß Ihr zu mir gestanden seid in den letzten schweren Wochen. Ihr habt mich aufrecht gehalten. Ihr wart Kraft und Trost in meiner Einsamkeit. Verzeiht mir bitte, daß ich Euch so viel Leid antun muß. Ihr habt es nicht verdient. Behaltet mich allzeit in Ehren, trotz dieses Todes, der scheinbar so viel Schande über Euch bringt.

Wenn Ihr dies lest, müßt Ihr wissen: Ich habe die Kerkermauern längst hinter mir gelassen und jene Freiheit errungen, die mich lächeln machen wird, wenn in gut einer Stunde der Befehl zur Vollstreckung ertönt. Dieser Tod ist nur äußerlich ein Ende. Wenn Ihr ganz still geworden seid, werdet Ihr spüren, daß ich Euch immer nahe bin. Ich schließe in mein letztes Gebet die Bitte um Stille für Euch mit ein.

Es dämmert. Mein letzter Tag geht zur Neige. Ich erwarte den Pfarrer. Er wird mir das Abendmahl reichen und Euch morgen besuchen. Dank für alles, was Ihr mir wart! Gott schütze Euch in diesen schweren Jahren! Gott schütze Dich im Krieg, mein Sohn!

Einen letzten Kuß, Euch Kindern – Dir, Geliebte!

Vater

Wir hielten eine Trauerfeier, wie Vater sie sich vorgestellt hatte.

Langsam ging es mir besser. Ich durfte wieder aufstehn, aber noch nicht hinaus, obgleich die Märzsonne über Mittag schon so schön warm war. Ich saß oft am Fenster und schaute in die Kiefer. Es war sehr still in unserem Haus. Mutter redete nur das Nötigste. Ihre Augen, die früher so gestrahlt hatten, waren erloschen. Unter Tag sahen wir sie nur selten weinen. Aber wenn es nachts Alarm gab, hatte sie immer verweinte Augen.

Es gab ziemlich oft Alarm. Hin und wieder fielen auch Bomben. Aber wir verspürten keine Furcht. Die letzten Monate hatten uns ausgehöhlt, unsere Nerven reagierten nicht mehr. Heulten die Sirenen los, trafen wir mechanisch alle die Vorkehrungen, an die wir uns gewöhnt hatten, seit auch bei uns in Lichtenrade öfter Bomben fielen: Fenster auf, Badewanne voll Wasser laufen lassen, Koffer und Taschen in den Keller schleppen, Bettzeug in die Laken knoten und runterschaffen. Bettzeug gab es kaum noch zu kaufen, und viele Ausgebombte mußten sich mit Wolldecken behelfen.

Gerade ging ich wieder zur Schule, da bekam ich Gelbsucht. Es war mir schrecklich, schon wieder im Bett liegen und mich pflegen lassen zu müssen. Denn eigentlich hätte ich mit Hannes und Rolands auf dem Feld arbeiten sollen. Kartoffeln mußten gelegt, die Gemüsebeete hergerichtet werden. Mutter brachte es nicht fertig, dorthin zu fahren. Sie sagte: »Ihr werdet das verstehen: Ich kann nicht. Jetzt noch nicht.«

Ich lag also wieder im Bett. Hannes arbeitete auf dem Acker, ganze Tage. Er ging nicht mehr zur Schule. Er hatte sein letztes Zeugnis bekommen und wartete täglich auf seine Einberufung zum Reichsarbeitsdienst. Seit Vaters Tod war ihm der Gedanke daran noch widerlicher. »Die können einen ganz schön schikanieren«, hatte er gemeint, als er -zig Mal in die Stadt gefahren war, um die theoretische Prüfung für seinen Luftfahrerschein zu machen. Die fliegerärztliche Untersuchungsstelle hatte ihn für tauglich erklärt. Er hatte beim NSFK angerufen und um einen Prüfungstermin gebeten. Den hatte er auch bekommen. »Als ich dorthin kam und meine Personalien durchgesehen wurden, sagt doch der Obersturmführer: ›So – Sie sind also der Sohn von Oberst Singelmann. Ihre Personalakte enthält einen entsprechenden Hinweis. Kommen Sie bitte morgen um die gleiche Zeit wieder.‹«

Als Hannes dies tat, hieß es, die Herren hätten keine Zeit. Beim nächsten Mal war der Herr Obersturmführer nicht mehr da. So ging es noch zweimal. Dann kam ein Anruf, Hannes möge zur Prüfung erscheinen. »Als ich dorthin komme, werde ich auch gleich reingerufen. Die

Herren sitzen da, rauchen Zigaretten und unterhalten sich über ein völlig belangloses Thema. Mich lassen sie einfach bei der Tür stehn, als wäre ich Luft. Nicht mal einen Stuhl hatten sie für mich. Nach einer halben Stunde etwa sagt der Obersturmführer: ›Sie sehen, wir haben beim besten Willen keine Zeit für Sie.‹ Da riß mir dann doch die Geduld. Ich antwortete ziemlich laut: ›Wenn Sie mich nicht brauchen, kann ich ja wohl gehn. Glauben Sie aber nicht, daß ich noch mal wiederkomme. Ich verzichte auf meinen Luftfahrerschein!‹ Machte kehrt und war weg. Die können mich gern haben.« Hannes erzählte dies alles sehr ruhig. Wir konnten ihm nicht anmerken, ob es ihn beunruhigte, von den hohen Herren so behandelt worden zu sein, und ob er sich Gedanken über seine Zukunft machte. Ich sah nur, wie Mutter die Augenbrauen hochzog. Das hatte sie immer dann getan, wenn Vater irgend etwas sehr ruhig gesagt hatte, obwohl die Sache ihm bestimmt zu schaffen machte.

Ende April konnte ich wieder in die Schule. Im Mai wurde Mutter berufstätig, Buchhalterin in irgendeinem Büro am Potsdamer Platz. Zwar erhielten wir gnadenhalber 250 Reichsmark monatlich, und das war tatsächlich eine ungewöhnliche Gnade, aber das Geld reichte natürlich weder vorne noch hinten. Onkel Oskar und Herr Vorberg boten Mutter immer wieder finanzielle Hilfe an, und Onkel Oskar sagte: »Damit du wenigstens ein bißchen zur Ruhe kommst.« Aber Mutter schüttelte nur den Kopf und erwiderte: »Es ist lieb von euch, und ich werde eure Hilfe sicher noch öfter brauchen. Aber für unser Tägliches möchte ich wirklich selber aufkommen.«

Durch Mutters Tätigkeit gab es auch für uns mehr zu tun. Ich mußte alle Einkäufe machen, oft lange anstehn, wenn es irgendwo etwas Besonderes gab. Unsere Vorräte aus Holland waren längst zu Ende. Wir waren auf die Zuteilungen der Lebensmittelkarten angewiesen.

Gut, daß wir wenigstens noch genug Kartoffeln hatten. und das Frühgemüse auf dem Feld war auch bald soweit. Mutter kochte am Abend für uns vor. Hannes und ich hielten das Haus sauber. Vierzehntägig kamen Oma und Opa. Zusammen mit Oma wusch Mutter, bügelte und stopfte. Opa schlug nun doch den Mauerdurchbruch in Nachbars Keller, gegen den sich Vater damals so gewehrt hatte. Aber es war dringend nötig, zwei Ausgänge zu haben. Wieviele Leute waren schon verschüttet worden. Fortan kam bei Alarm die Nachbarsfamilie in unseren Keller, weil der besser abgestützt war.

Mit Oma und Opa gab es seit Vaters Tod keine Spannungen mehr. Omas Begeisterung für den Führer war in Haß umgeschlagen. Genauso eifrig, wie sie früher für Hitler Partei ergriffen hatte, schimpfte sie nun über ihn. Opa mußte sie immer wieder bremsen: »Sei still! Solche Reden können dich den Kopf kosten.«

Hannes bekam seine Einberufung für den 18. Mai. Zwei Tage vorher fielen bei uns in der Nähe nachts ein paar Sprengbomben, die wieder ein großes Stück vom Dach wegfliegen ließen. So waren wir an seinem letzten Tag mit Dachdecken beschäftigt. »Macht nichts, Schwesterchen! Ist doch besser, als wenn's zwei Tage später weggeflogen wäre. Dann hättest du's allein machen müssen.«

Alleine Dach decken zu müssen – der Gedanke machte mir keine Angst. Vielmehr graute mir bei dem Gedanken, daß Hannes in zwei Tagen weg war, fort, unerreichbar. Wie gut und tröstlich seine Nähe war, auch für Mutter, wurde mir erst jetzt bewußt. Fortan war ich also den ganzen Tag allein. Mutter kam immer erst gegen sieben Uhr aus der Stadt. Dann war sie völlig fertig. Wenn es irgendwie ging, holten wir sie von der Straßenbahn ab. Sie sah so elend aus und mußte so viel arbeiten. Und die Bürotätigkeit war ihr so widerlich.

Hannes mußte sich am 18. Mai um 16 Uhr 30 am Flakturm Zoo einfinden. Ich begleitete ihn. Kurz bevor wir losgingen, kam er mit einem Brief in der Hand aus seinem Zimmer. Er war noch bleicher, als er es ohnehin seit Vaters Tod schon immer war. »Ich muß noch was mit dir besprechen, Hanna. Aber du mußt mir ganz fest zusagen, daß Mutter nichts davon erfährt, hörst du? Sie könnte es nicht verkraften. Versprich es mir.«

»Ich versprech es dir.«

»Dieser Brief kam ungefähr zwei Wochen nach Vaters Tod. An Mutter adressiert. Ich weiß nicht, warum ich ein so ungutes Gefühl hatte. Bestimmt nicht nur wegen des Absenders. Ich habe ihn geöffnet. Obgleich ich noch nie in meinem Leben Briefe geöffnet habe, die nicht an mich adressiert waren. Hier, lies.«

Ein amtliches, gedrucktes Formular.

Ich starrte auf das Blatt. Es ging ziemlich lange, bis ich begriff. Hannes legte seine Hände auf meine Schultern und sagte: »Ja, das ist das Infamste, was die sich ausgedacht haben. Mutters wegen bin ich noch immer froh, daß irgendwas mich warnte. Sie darf das nie zu sehn kriegen, hörst du?«

Ich nickte. »Und wer hat die Rechnung bezahlt?«

»Onkel Oskar. Hier ist die Quittung. Heb beides gut auf. Vielleicht braucht man es noch mal.«

Ich sah noch immer auf das Blatt. 158 Reichsmark und 18 Reichspfennige kostet es also, wenn jemand umgebracht wird. 158 Reichsmark und 18 Reichspfennige mußten die Angehörigen zahlen, wenn man ihnen das Liebste mordete. Ob die 18 Reichspfennige der Preis für die Kugeln waren? Bekommt man für 18 Pfennige genügend Kugeln, um jemanden zu erschießen? Und 300 Reichsmark als Gebühr für Todesstrafe. Was für eine Gebühr? Prozeßgebühr? Schreibgebühr?

Reichsanwaltschaft beim Reichskriegsgericht
- Staatsanwaltschaft -

Geschäftsnummer 3J 105/ 43

Kostenrechnung

in der Strafsache gegen Singelmann, Franz, wegen Wehrkraftzersetzung

Lfd. Nr.	Gegenstand des Kostenansatzes und Hinweis auf die angewandte Vorschrift	Wert des Gegenstandes RM	Es sind zu zahlen RM Rpf.
1	2	3	4
	Gebühr für Todesstrafe ...		300,--
	Postgebühren gem. § 72 GKG ...		2,70
	Gebühr für den Rechtsanwalt ...		224,--
	Haftkosten gem. § 72 GKG für die Untersuchungshaft vom 9.10.42 bis 19.12.42 = 72 Tage à 1,50 ...		108,--
	für die Strafhaft vom 20.12.42 bis 9.2.43 = 52 Tg. à 1,50 ...		78,--
	Kosten der Strafvollstreckung a) Vollstreckung des Urteils		158,18
	Hinzu Porto für Übersendung der Kostenrechnung ...		-,12
			871,--

Hannes unterbrach meine Gedanken: »Leg den Brief gut weg und komm, wir müssen los.«

Am Flakturm Zoo hatten sich schon viele junge Leute in Hannes' Alter versammelt. Die meisten seiner Klassenkameraden waren auch dabei. Sie wurden gleich dort in verschiedene Lager eingeteilt. Und dann ging es auf den Bahnhof. Wir hielten noch immer Ausschau nach Mutter. Sie kam aber nicht. Man hatte ihr wohl nicht frei gegeben. Vielleicht war es auch besser so für sie.

Die Züge standen schon bereit. »Mußt nicht weinen, Hanna«, sagte Hannes, »ist ja nur der RAD. Ganz ungefährlich. In einem Vierteljahr bin ich wieder zu Hause.«

»Und dann?«

»Dann hab ich erstmal ein bißchen Urlaub. Und dann geht's zur Wehrmacht. Und bis ich die Ausbildung hinter mir hab« – er beugte sich zu mir herunter und flüsterte mir ins Ohr: »... ist der Krieg vielleicht schon aus und vorbei.«

Ich wußte, was er damit meinte: daß der Krieg verloren sei. Um 18.30 Uhr fuhr der Zug ab. Hannes stand am Fenster und winkte. Ich lief noch ein Stückchen nebenher. Dann zog er sein Taschentuch und schwenkte es hin und her. Der weiße Fleck wurde immer kleiner. Schließlich war es nur noch ein winziger Punkt. Aber vielleicht war das gar nicht mehr das Taschentuch von Hannes.

Am Bahnhofsausgang kaufte ich mir den VB. Wir lasen nur selten den Völkischen Beobachter. Aber hin und wieder war es interessant zu sehen, was die Herren aus dem Kriegsgeschehen machten. So war die Katastrophe von Stalingrad als »Heldenepos von Stalingrad« bezeichnet worden, denn »Generäle, Offiziere, Unteroffiziere und Mannschaften hatten Schulter an Schulter bis zur letzten Patrone« heroisch gekämpft. Wenig später hatte Goebbels im Berliner Sportpalast den totalen Krieg verkündet. Die deutschen Volksgenossen und Volksgenossinnen hatten mit zustimmendem Gebrüll geantwortet. »Wollt ihr den totalen Krieg? Wollt ihr ihn, wenn nötig, totaler und radikaler, als wir ihn uns heute überhaupt noch vorstellen können?«

Ja, er wurde totaler und radikaler, als die schreienden Volksgenossen es sich vor drei Monaten vorgestellt haben mochten. Seit Stalingrad gab es im Osten immer wieder »planmäßige Räumungen« zur Frontbegradigung. Der Kampf in Afrika war inzwischen mit einer großen Niederlage endgültig verloren. Man munkelte von der Möglichkeit eines Landungsversuches der Anglo-Amerikaner auf Sizilien oder Sardinien.

Die Luftangriffe der Alliierten auf das Ruhrgebiet und sehr viele deutsche Städte wurden immer häufiger und heftiger. Vorgestern hatten die Tommys die Sperrmauern der Möhne- und Edertalsperre getroffen. Man sprach von weit über 1000 Toten unter der Zivilbevölkerung. Für die Abwehr der feindlichen Bomberverbände wurden seit Februar Schüler der höheren Schulen eingesetzt, die das 15. Lebensjahr vollendet hatten, sogenannte Luftwaffenhelfer. Sie dienten in den Flakstellungen wie Männer.

Wie hatte Goebbels gefragt: »Glaubt ihr mit dem Führer und mit uns an den endgültigen totalen Sieg des deutschen Volkes?« Ob er wohl jetzt, drei Monate später, noch genauso viele Ja-Schreier zusammengetrommelt bekäme?

Wieder begann das Warten auf Post. Diesmal von Hannes. Immer wenn ich merkte, wie sehr ich wartete, erschrak ich. Voriges Jahr um diese Zeit hatte ich noch auf Post von Erik gewartet. Erik war tot. Vor vier Monaten hatten wir noch auf Post von Vater gewartet. Vater war tot. Jetzt warteten wir auf Post von Hannes. Ich dachte den Gedanken nicht weiter. Furcht kroch in mir hoch. Aber Hannes war ja nur beim RAD. Ganz ungefährlich. Und bis er seine Wehrmachtsausbildung hinter sich hatte, war der Krieg vielleicht wirklich schon vorbei.

Der erste Brief ließ nicht lange auf sich warten. Er kam aus Polajewo, Kreis Scharnikau, Wartheland.

Liebe Mutter, liebe Hanna.

Das war vielleicht eine Reise! Ein D-Zug braucht von Berlin bis Posen (250 km) 4½ Stunden. Und wir? Wir hielten mehr, als daß wir fuhren. Nach gut zwölf Stunden Fahrt kamen wir endlich in Posen an. Geschlafen haben wir in dem viel zu vollen Zug natürlich überhaupt nicht. In Posen stiegen wir um in eine Kleinbahn. Um 9 Uhr waren wir in Rogasen. Drei Stunden warten. Dann wieder Bimmelbahn. Um 12½ in Güldenau. Dann Marsch zum Lager. Um 15 Uhr endlich tauchten vor uns aus der Weite und Öde der Landschaft die Baracken des Lagers Polajewo auf. Vorher ging's noch durchs Dorf. Mächtig dreckig. Sein einziger Schmuck sind die zwei Kirchen. Die Einwohner bestehen zu 90 Prozent aus Polen, der Rest aus deutschen Umsiedlern. Von Kultur scheinen sie noch nicht viel gehört zu haben. Aber wir leben hier auf uraltem germanischem Siedlungsboden, wie unser Oberstfeldmeister sagte. Überhaupt ist alles auf nationalsozialistischer Grundlage aufgebaut.

Der Betrieb ist mächtig scharf hier, schärfer als im Wehrertüchtigungslager. 6 Uhr Wecken, anschließend Frühsport, Waschen, Bettenbauen, Stube fegen und Kaffeetrinken. Um 7 Uhr schon Morgenappell. Da könnt Ihr Euch vorstellen, daß alles sehr schnell gehen muß. Meistens reicht es gar nicht zum Kaffeetrinken. Dann zwei bis drei Stunden Ordnungsdienst. Um 10 Uhr zweites Frühstück. Dann eine Stunde Unterricht, eine Stunde Sport. Mittagspause – natürlich viel zu kurz. Dann wieder Ordnungsdienst oder Sport. Abends eine Stunde Putz- und Flickstunde, Abendessen. Dann Singen oder

Freizeitgestaltung. Um 22 Uhr Zapfenstreich mit dem gefürchteten Stubendurchgang. Später kommt statt Ordnungsdienst der Baustelleneinsatz. Da müssen wir dann Moorwiesen trockenlegen. Ihr könnt Euch denken, daß ich todmüde ins Bett falle – nicht nur ich. Aber die Verpflegung ist ausgezeichnet. Täglich ein halbes Brot, viel Wurst und Butter.

Die Vorgesetzten – nun ja ... Die meisten nur verkrachte Existenzen. Auf jeden Fall können sie alle mächtig schleifen und entwickeln dabei erstaunliche Lautstärken. Über den Hof geht's immer nur im Laufschritt, und auch sonst läßt man uns keine Ruhe.

Die hygienischen Verhältnisse sind katastrophal. Es gibt kaum Wasser. Die Brunnen sind durch die anhaltende Trockenheit alle ausgetrocknet. Und ein Staub ist hier – Ihr könnt es Euch überhaupt nicht vorstellen. Eine marschierende Kolonne verschwindet im Staubnebel. Dazu dürfen wir das Wasser hier nicht trinken und sind auf den grauenhaften Kaffee angewiesen.

Bei dem Tageslauf werdet Ihr verstehen, daß ich nicht allzu oft schreiben kann. Auch sonntags haben wir nur 14tägig frei und dann nur halbe Tage. Aber die Zeit wird schon rumgehen.

Ich denke viel an Euch und hoffe, daß Euch der Tommy nicht zu sehr plagt. Zur Zeit scheint Ihr ja Ruhe zu haben. Sie sind wohl zu sehr mit dem Ruhrgebiet beschäftigt. – Sehr liebe Grüße. Euer Hannes

Ja, der Tommy plagte uns im Augenblick nicht allzu sehr. Es gab zwar fast jede Nacht Alarm, aber meistens wurde nicht einmal geschossen. Und wenn, dann hörten wir höchstens ein einzelnes Flugzeug brummen. Keine Bomben. Wie lange diese Ruhe wohl anhalten mochte?

Der nächste Brief kam Anfang Juni. »... Inzwischen werden wir ganz schön hart hergenommen. In der Arbeitstechnik lernen wir mit Hacke und Spaten umzugehen, machen Schiebkarren- und Muldenkipperbetrieb usw. Bei allem natürlich immer nur Brüllerei, Schnauzerei, Hetzerei. Ganz schlimm ist es, wenn wir zur Baustelle gehn. Die sieben Kilometer werden meistens im Laufschritt zurückgelegt, weil der Gesang nicht laut genug ist. Und das im tiefen Sand der Feldwege, in riesigen Staubwolken und bei glühender Sonne mit dem Spaten über der Schulter. Aber ich werde schon durchhalten. Außerdem ist der ganze Dreck unter Umständen schon in 77 Tagen vorbei nach unserer Stuben-Tageszählung. Jeder Tag wird bei uns auf der Bude mit großem Ernst am Abend auf dem Kalender abgestrichen, und die noch vor uns liegende Tageszahl feierlich verkündet. Am 1. Juli soll unsere Abteilung verlegt werden, und zwar ganz in die Nähe von Neu-Bentschen. Vielleicht schon auf deutsches Gebiet. Auf alle Fälle kommen wir der Heimat näher. Und das scheint mir schon viel zu sein. Die Stimmung ist allgemein verdammt schlecht, und es ist nicht einfach, den Kopf oben zu behalten.

Zu allem hin bin ich neulich auch noch mit meinem Abteilungsführer aneinandergeraten. Sagt der doch tatsächlich: ›Wir sind ja nicht auf Grund eines Gestellungsbefehles hier, sondern leisten als freie deutsche Menschen unseren Ehrendienst am deutschen Volk hier ab.‹ Dieses Wort hat allgemein ungeheure Erbitterung hervorgerufen, und bei nächster Gelegenheit bin ich geplatzt. Ein unliebsamer Auftritt. Und als er mich dann zu allem hin noch fragte, was ich einmal werden wollte, sagte ich ›Pfarrer‹. Das hat ihm einen Augenblick die Sprache verschlagen. Dann ging's los: ›Ich werde dafür sorgen, daß Sie Vormann werden und zum Lehrgang kommen. Dann sind Sie nicht ein Vierteljahr, sondern ein Dreivierteljahr bis ein Jahr beim RAD. Und danach kommen Sie zur Waffen-SS‹. Nach diesem Auftritt hat er wohl Näheres über meine Person in Erfahrung gebracht. Er schikaniert mich seither, wo er nur irgend kann. Hat auch schon mehrfach eine entsprechende Bemerkung gemacht. Aber ich reagiere mit Sturheit. Das macht ihn noch rasender, weil er merkt, daß er so nicht weiterkommt.«

Mutter sagte nur: »So etwas habe ich befürchtet.« Sie machte sich Sorgen. Wir backten noch am selben Abend einen Kuchen, obgleich die Reste unserer Vorräte draufgingen. Aber Hannes war so versessen auf Süßigkeiten und Kuchen.

Der nächste Brief ließ sehr lange auf sich warten. Er kam erst gegen Ende Juni.

Liebe Mutter, liebe Hanna!

Eigentlich geht es mir ganz gut, wenigstens jetzt im Augenblick. Ich muß nämlich nicht schippen, sondern darf faul im Bett rumliegen. Bin nämlich krank. Aber bis man das hier eingesehen hatte, ging es eine ganz schöne Weile. Bei irgend so einem Gewaltmarsch, sprich: Gewaltlauf zur Baustelle, holte ich mir eine schwere Erkältung. Am nächsten Tag hatte ich ganz eindeutig ziemlich hohes Fieber. Aber da kennt Ihr die Herren hier schlecht. Mein Abteilungsführer, der mich ja ohnehin so liebt, redete tagelang nur von ›faulkrank‹. Das tut er übrigens nicht nur bei mir, sondern auch bei anderen. Kranksein ist Schwäche. Und Schwächen muß man mit Härten begegnen. Als ich dann schließlich doch auf die Krankenstube kam, ging's mir ziemlich schlecht. Dann wurde es wieder besser.

Aber plötzlich bekam ich Ohrenschmerzen. Ich hatte eine richtige schöne Mittelohrentzündung, und wer weiß, wie Ohrenschmerzen sind, der kann sich vorstellen, wie ich mich fühlte. Aber das wußte dieser Dummkopf von Heilgehilfe natürlich nicht. Trotz ärztlicher Verordnung bekam ich nicht einmal einen Verband ums Ohr. Ich lag im Zug, und es verschlimmerte sich immer mehr. Trotzdem mußte ich für den Heilgehilfen Essen holen, sein Bett machen, sogar seine Stiefel putzen. Und das alles ganz eindeutig mit Billigung der Vorgesetzten. Sie wollten einfach nicht zur Kenntnis nehmen, wie es mir ging.

Und bis hier in die Einöde ein Arzt kommt . . . Ich habe schon mehrfach Krach geschlagen. Zwar ist mein Fieber jetzt nicht mehr so hoch, aber die Ohren sind nicht in Ordnung.

Gottlob wird unsere Abteilung in Kürze nach Teichrode bei Wollstein verlegt. Den Umzug mit all der Aufregung und Arbeit kann ich noch nicht mitmachen. Darum soll ich nach Scharnikau ins Krankenhaus kommen. Ich habe schon mehrmals gedrängt, mich doch sofort dahin zu schicken, damit ich endlich sachgemäße Pflege bekomme. Aber das wurde immer wieder abgelehnt. Für so einen wie mich – und sie wittern natürlich meine Einstellung – wird nur das Allernotwendigste getan. Aber ein Gutes hat die Krankheit: Ich brauche nicht Vormann zu werden und folglich auch nicht zur Waffen-SS.

Macht Euch bitte keine Sorgen. Ich kann heute so offen schreiben, weil ein Kamerad den Brief nachher mitnimmt und einwirft.

Viele herzliche Grüße,

Euer Hannes

Wir machten uns große Sorgen. Eine Mittelohrentzündung konnte böse Formen annehmen bei Hannes. Als Kind hatte ihm schon einmal das Ohr aufgemeißelt werden müssen. Die Sache war gerade noch gut abgelaufen. Seit damals hatte er hin und wieder mit den Ohren zu tun und war dann immer sofort in fachärztliche Behandlung gekommen. Mutter sagte: »Ich werde versuchen, ein paar Tage frei zu bekommen. Ich muß mich sofort um die Sache kümmern.«

Doch ehe sie das organisiert hatte, kam ein kurzer Gruß.

Absender: Kreiskrankenhaus Scharnikau, Wartheland. ». . . Jetzt habe ich wenigstens richtige Pflege. Von den teilweise doch recht starken Schmerzen abgesehen, fühle ich mich hier sehr wohl. Endlich mal Ruhe! Kein Führerbrüllen, keine Schikanen, bequemes Leben, sehr gute Verpflegung. Außerdem endlich mal wieder klassische Musik, die mir im Lager so fehlte.«

Mutter legte den Brief aus der Hand und sagte: »Gott sei Dank. Jetzt kannst du wenigstens auch in Ruhe nach Deep reisen.«

Ja, die großen Ferien hatten inzwischen begonnen. Eigentlich hätte ich wieder zum Ernteeinsatz gemußt. Aber unser Arzt hatte mir ein Attest geschrieben, und so war ich freigestellt worden. Es ging mir auch wirklich nicht besonders gut. Die schwere Infektion und anschließende Gelbsucht hatten mir sehr zugesetzt, und der Alltag war alles andere als erholsam. Fast immer zu wenig Schlaf wegen der Alarme, Schule, Schularbeiten, BDM-Dienst, Einkauferei oft mit langem Anstehen, abends mit Mutter die unumgänglichen Hausarbeiten, dazu noch die Feldarbeit. »Ach, das können wir doch für euch mitmachen«, hatte Onkel Oskar schon öfter gesagt. Mutter hatte erwidert: »Wenn ihr das während der großen Ferien machen wollt, wären wir euch sehr sehr dankbar. Hanna muß sich erholen. Sie muß ausschlafen können und sich auch ein bißchen rausfuttern. Sie sieht beängstigend elend aus.«

Onkel Oskar darauf: »Und du? Ich glaube, dir täten Ferien auch bitter nötig.«

Mutter schüttelte nur den Kopf und sagte leise: »Nein, für mich ist es bestimmt besser, wenn ich so eingespannt bin. Ich könnte mich jetzt gar nicht erholen. Ich würde doch nur grübeln, wenn ich Zeit hätte. So komme ich gar nicht dazu. Nicht einmal nachts. Ich falle ins Bett wie tot und schlafe immer sofort ein.«

Ja, auch Mutter hätte Ferien nötig gehabt. Wenn sie abends aus der Straßenbahn stieg oder wenn sie mir auf dem Heimweg entgegenkam, dachte ich oft: Würde Vater sie überhaupt wiedererkennen? Sie hatte graues Haar bekommen und war abgemagert. Sie aß auch nur sehr wenig. Und immer war sie unausgeschlafen. In der

Frühe mußte sie schon vor sechs Uhr aufstehen. Und wenn wir nachts zwei, drei Stunden im Keller gehockt hatten, bekam sie häufig nicht mehr als vier bis fünf Stunden Schlaf. Wie das alles weitergehen sollte . . .

Ich reiste also nach Deep. Aber wie! D-Zugkarten zu erwischen war im Sommer 1943 schon fast unmöglich. Es fuhren viel zu wenig Züge. Und diese wenigen waren immer rasch ausverkauft. Zweimal fuhr mein Großvater morgens um halb sechs Uhr in die Stadt wegen einer Fahrkarte. Beide Male stand er umsonst an. So mußte ich also einen Eilzug nehmen, und der war proppenvoll. Aber auch ein übervoller Zug kommt schließlich an.

An der Station wartete wie immer die Kutsche mit Marlen und Dolma. Aber diesmal saß nicht der Bauer auf dem Kutschbock wie noch vor zwei Jahren, sondern seine Frau. Der Bauer stand an der Ostfront. »Wir freuen uns alle sehr, daß Sie kommen, Fräulein Hanna«, sagte sie und nahm meine Hand. Sie hielt sie einen Augenblick länger als man eine Hand eigentlich zur Begrüßung hält und sah mich an. Ihre Augen sagten alles, was sie mit Worten nicht ausdrücken konnte. Da wußte ich, daß ich mich wohlfühlen würde.

Ich setzte mich neben sie auf den Kutschbock, und sie gab mir gleich die Zügel in die Hand. Ich hatte vor zwei Jahren öfter alleine mit Marlen und Dolma Gäste von der Bahn abholen dürfen. Nichts hatte sich verändert seit damals. Die gleichen staubigen Wege an den Viehweiden entlang. Kartoffeläcker, Rübenäcker, Kühe. Und noch immer dieser unverwechselbare Geruch, diese Mischung von Weideland mit Kühen, schwitzenden Pferden und Staub. Dazu der leichte Harzgeruch der Kiefern, die hinter dem Dorf an den Ausläufern der Dünen standen. Und eine Ahnung von Meer. Ich kannte jede Brücke, jede Wegbiegung. Und da – der große Busch! Dort hatte Vater sich damals versteckt, als Rolands ein paar Tage nach uns in Deep eintrafen. Sie wußten gar nicht, daß Vater bei uns war. Er hatte eigentlich auch keinen Urlaub. Aber es war ihm gelungen, eine Inspektionsreise zum Flughafen Kolberg in unsere Ferien zu legen und ein paar freie Tage anzuhängen. Er hatte uns nichts davon geschrieben, wir waren völlig ahnungslos. Und dann war er plötzlich da. Mutter, Hannes und ich hatten gerade gebadet. Mutter war als erste aus dem Wasser gegangen und stand nun im Strandkorb, den Bademantel umgehängt, und zog ihren Badeanzug aus. Wir liefen durch die anbrandenden Wogen zum Ufer, Hannes ein paar Schritte vor mir her. Dort, wo die Wellen sich brachen, setzte ich mich noch einmal ins Wasser und ließ mich überspülen. Hannes war schon am Strand und rief plötzlich irgendwas. Ich verstand nichts, die Brandung war zu laut. Als ich aufblickte, sah ich ihn sehr rasch die Dünen hinauflaufen. Oben auf dem Kamm der großen Düne stand Vater, in voller Uniform. Die Mütze hielt er in der Hand und winkte. Mutter stand noch immer im Strandkorb mit dem Rücken zu den Dünen und trocknete sich ab. Ich rannte los und schrie: »Vater! Vater!« Am Strandkorb vorbei: »Vater ist da!« Ich war die Dünen schon halb hinaufgelaufen, da hörte ich Vater und Hannes lachen. Ich wandte mich um. Mutter lief hinter mir her, den Bademantel hatte sie nur lose um die Schultern gehängt. Er glitt ihr hinunter, und sie stand nackt am Dünenabhang. Sie raffte ihn wieder auf, warf ihn sich um und rannte weiter. Noch einmal rutschte er ihr aus den Händen, und einen Augenblick stand sie wieder nackt da in dem weißen Sand, braungebrannt und lachend.

Zwei Tage später waren Rolands dann gekommen. Vater hatte sich hinter dem großen Busch versteckt. Mutter, Hannes und ich waren der Kutsche noch ein Stückchen weiter entgegengegangen. Mit großem Hallo hatten wir uns begrüßt und liefen nun nebenher, denn es war kein Platz mehr für uns. Als die Kutsche gerade eben den Busch erreicht hatte, sprang Vater dahinter hervor und schwenkte seinen Feldblumenstrauß: »Willkommen, ihr Lieben! Willkommen!« Die Pferde machten vor Schreck einen Satz. Und weil sie schon mal am Springen waren, sprangen sie gleich weiter. In gestrecktem Galopp. Sie gingen ganz einfach durch. Pferde, Kutsche, Bauer Olhoff und alle Rolands verschwanden in einer Staubwolke. Wir hörten nur noch Fluchen und Quietschen. Die Pferde galoppierten tatsächlich bis zu Olhoffs Hof, wo Rolands immer wohnten. Vater brachte dem alten Bauern sechs dicke Zigarren mit Bauchbinde für den ausgestandenen Schrecken. Der Alte sagte nur: »Morgen muß ich wieder zur Bahn. Da sind noch andere Büsche am Weg.«

»Fräulein Hanna, wir sind da!« Ich fuhr zusammen. Marlen und Dolma bogen gerade in den Hof ein. Ich zog wieder in das Dachstübchen, das ich sonst immer mit Hannes geteilt hatte. Aus dem Fenster blickte man auf die Ställe. Kuhstall, Pferdestall, Schweinestall. Die Schweine schrien und quiekten. Fütterungszeit. Die Kühe wurden eingetrieben zum Melken. Sie nickten mit den Köpfen, die prallen Euter schwankten hin und her. Nacheinander trotteten sie in den Stall. Morgen werde ich sie von der Weide holen, dachte ich.

Im gleichen Augenblick fuhr ich zusammen: Erik – ja, das war Erik. Oder träumte ich? Aber war das dort nicht wirklich Erik? Die gleichen dunklen Locken, die gleiche stattliche Figur. Das Gesicht konnte ich nicht sehen. Der Mann kehrte mir den Rücken zu und ging nun mit der letzten Kuh in den Stall. Dort hörte ich ihn reden. Seine Stimme schien mir etwas tiefer als die von Erik. Verstehen konnte ich nichts.

Ich setzte mich aufs Bett. Dort saß ich noch, als man mich zum Abendbrot rief. Am Küchentisch hatten sich die Bäuerin, ihre Schwester Martha, der Schwager Walter und die Kinder Edith und Fritz versammelt. Warum Walter wohl noch nicht eingezogen war? Er war doch inzwischen bestimmt auch schon 18. Es gab herrliche Bratkartoffeln, in viel Fett gebraten, Rührei und Salat.

»Langen Sie tüchtig zu, Fräulein Hanna. Sie können es brauchen«, sagte die Bäuerin und sah mich wieder liebevoll an.

Ich hatte gerade meinen Teller gefüllt, da ging die Tür auf. Erik – ja Erik. Nein – doch nicht Erik, doch nicht ganz. Das Gesicht war breiter, die Backenknochen standen etwas vor, die Augen lagen tiefer in den Höhlen, schwarze Augen. Erik hatte bernsteinfarbene. Auch die Nase war etwas breiter, das Kinn schwerer. Und doch – so viel Ähnlichkeit bis hin zu den Bewegungen. Erik war wieder da, so nah, wie er mir nur in den Träumen gewesen war, als ich noch auf Post von ihm wartete. Und dabei war er jetzt schon über ein Jahr tot.

Die Bäuerin sagte: »Das ist Wassilij, unser Russe. Er ist jetzt bald ein Jahr bei uns. Und wir kommen gut miteinander aus, nicht wahr, Wassilij?«

»Ja. Ich habe es gut hier.«

»Wassilij spricht fließend Deutsch. Er sprach schon sehr gut, als er herkam. Er war Offizier. Wir haben Glück. Andere hier im Dorf kommen mit ihren Gefangenen nicht so gut aus. Aber ich sage mir immer: wer weiß, ob Karl nicht eines Tages in russische Gefangenschaft gerät. Und vielleicht hat er es dann auch gut, weil wir zu Wassilij gut sind. Wären doch alle lieber in ihrer Heimat, Karl hier bei mir und Wassilij in Taschkent, nicht wahr?« Wassilij nickte. Taschkent – wo lag das eigentlich? War das von unseren Truppen besetzt? Ich hatte den Namen schon gehört, verband aber keine geographische Vorstellung damit.

Wie er nach der Schüssel langte, sich auffüllte ... Wie er die Gabel hielt ... War ich nach Deep gereist, um Erik noch einmal zu begegnen? Ich hatte Mühe, meinen Teller leer zu essen. Und dabei waren die Bratkartoffeln außerordentlich fein. So feine hatte ich schon lange nicht mehr gehabt. Wassilijs Blicke und meine trafen sich mehrmals zufällig. Trafen sie sich wirklich zufällig? Ich war froh, als das Essen rum war.

»Ich geh gleich nach oben und packe noch aus«, sagte ich.

»Ich bin auch schrecklich müde.«

»Schlafen Sie gut, Fräulein Hanna.«

»Bestimmt, so ohne Alarm. Gute Nacht.«

Ich packte meine Koffer aus. Dann setzte ich mich ans Fenster. Draußen wurde es dunkel. Auf dem Bänklein unter dem Nußbaum saßen ein paar Gestalten. Ich konnte nicht mehr erkennen, wer es war. Nun redeten sie miteinander – russisch. Also Wassilij und ein paar andere aus dem Dorf. Nach einer Weile fingen sie an zu singen, eine eintönige Melodie. Ein trauriges Lied, eines zum Heimwehkriegen. Ob sie viel Heimweh hatten, die Russen dort auf der Bank? Sicher hatten sie Heimweh, und Heimweh ist schrecklich. Sie sangen leise vor sich hin. Einer hatte einen besonders tiefen Baß. Er sang die zweite Stimme. Schön klang es, schön und unendlich traurig.

Abend für Abend trafen sich die Russen auf der Bank unter dem Nußbaum. Sie sangen viel. Manchmal auch fröhliche Lieder, Tanzlieder. Aber meistens traurige. Ich saß oft am Fenster und lauschte. Und hatte auch Heimweh, viel Heimweh. Nicht nach Berlin, nach der Uhlandstraße oder nach Mutter und Hannes. Heimweh nach dem Deep von früher. Als Vater noch lebte, als Erik noch lebte. Als wir alle noch beisammen waren. Vielleicht hätte ich doch nicht hierher reisen sollen.

Ging ich zum Baden, mußte ich an dem kleinen Laden vorbei. »Gemischtwaren« hatte früher auf dem Schild über dem Schaufenster gestanden. Dann war das m langsam abgeblättert. Vor zwei Jahren noch konnte man hier »Genischtwaren« kaufen, nun »Geischtwaren«.

Ich sehe Vater. Er lacht etwas verlegen, fast wie ein

ertappter Junge, und sagt: »Ach Mameli – nur ein paar!« Und schon ist er im Lädchen verschwunden, und Mutter kann gerade noch rufen: »Aber wirklich nur ein paar!« Und gleich darauf ist er zurück mit einer Pappschachtel voller Negerküsse. 12 Negerküsse, 16 Negerküsse, 20 Negerküsse. »Das nennst du ein paar?« ruft Mutter und schlägt in gespieltem Entsetzen die Hände zusammen. »Du wolltest doch diesmal wirklich abnehmen, Franz!«

Ja, damals war man noch mit Abnehmen beschäftigt, und Vater wollte unbedingt schlanker nach Hause kommen.

»Ach Mameli – sie sind doch so fein!« sagt er. Und wir greifen zu, Vater, Hannes und ich, und essen Negerküsse, einen nach dem anderen, während wir die Dünen zum Strand hinaufsteigen. Und bis wir in unserer Burg sind, sind die Negerküsse weg. Mutter aß nie einen. Sie mochte das weiße Schaumzeug nicht.

Ich war schon über zwei Wochen in Deep und fing an, mich zu erholen. Jede Nacht ungestörter Tiefschlaf. Ich schlief oft bis zu zehn Stunden.

Da kam der Eilbrief von Mutter. Nur wenige Zeilen:

Liebes Kind.

Ich habe mir ein paar Tage frei genommen und fahre nach Posen. Hannes muß operiert werden. Die Ohrengeschichte hat sich offensichtlich festgesetzt. Er wurde von Scharnikau in das DRK-Krankenhaus Posen verlegt. Ich wohne bei Büchlers, Glogauer Straße 107. Du bekommst sofort Nachricht von mir.

Grüße Mutter

Hannes operiert. Es war schon einmal um Leben und Tod gegangen bei einer Ohrenoperation. Wie lange war er eigentlich jetzt schon krank? Fünf bis sechs Wochen etwa. Und die ganze Zeit war er anscheinend nicht von einem Facharzt behandelt worden. Eine Mittelohrentzündung, so lange nicht behandelt – was kann daraus werden? Ruhe und Erholung waren weg. Ich wartete nur noch auf Post. Ich fragte die Bäuerin: »Soll ich einfach nach Posen reisen?«

»Wenn ich Ihnen raten soll: warten Sie auf Nachricht von Ihrer Mutter! Vielleicht geht es Ihrem Bruder inzwischen schon viel besser, und dann ist die ganze Aufregung umsonst.« Sie mochte recht haben.

Nach vier Tagen wieder ein Eilbrief von Mutter. In den Briefbogen gefaltet zwei Fünfzigmarkscheine. Nur wenige Sätze: »Liebes Kind. Komm bitte umgehend. Es geht Hannes nicht gut. Er würde sich über Deinen Besuch bestimmt sehr freuen. Drahte Deine Ankunft Posen Hauptbahnhof. Ich hole Dich ab. Mutter.«

Am nächsten Mittag, dem 29. Juli, traf ich in Posen ein. Mutter war nicht auf dem Bahnsteig. Statt dessen Frau Büchler. Büchlers waren alte Freunde aus Berlin. Nach dem Polenfeldzug war Herr Büchler nach Posen versetzt worden.

»Wie geht es Hannes? Wo ist Mutter?«

»Hannes scheint es heute etwas besser zu gehen. Aber deine Mutter ist leider krank geworden.«

»Mutter krank? Was hat sie?«

»Krieg keinen Schreck, Hanna: Scharlach.«

»Scharlach?«

»Ja. Sie kam schon halbkrank hier an. In Berlin gibt es zur Zeit viele Scharlachfälle. Gestern brach es durch.«

»Und wo ist sie?«

»Im gleichen Krankenhaus wie Hannes. Auf der Infektionsstation.«

»Und was ist mit Hannes?«

»Du wirst ihn ja heute noch sehn, Hanna. Es war eine schwere Operation. Alles aufgemeißelt. Aber wir haben hier einen sehr tüchtigen Ohrenspezialisten.«

»Ja und wie geht es ihm?«

»Das kann ich dir nicht so genau sagen, Hanna. Die Operation ist gut verlaufen ...« Frau Büchler stockte.

»Und ... und ... was ist los? Was ist mit Hannes? ... Um Gottes willen, Frau Büchler ... was ist mit Hannes?«

»Er hätte wohl etwas früher operiert werden müssen. Er hat eine Sepsis.«

Wir fuhren sofort ins DRK-Krankenhaus, Leistikowplatz. Obwohl Frau Büchler mehrmals drängte: »Komm erst zu uns, mach dich ein bißchen frisch und iß etwas.«

Ich schüttelte nur den Kopf. Ich konnte nicht sprechen. Ein Kloß steckte mir im Hals. Sepsis – Blutvergiftung.

Er lag in der chirurgischen Männerabteilung, Zimmer 6. Eigentlich war keine Besuchszeit. Aber Schwester Grete sagte sofort: »Natürlich können Sie zu ihm. Aber erschrecken Sie nicht – es geht ihm nicht gut.«

Vorsichtig drückte ich die Klinke herunter. Doppeltür. Meine Knie sind sehr weich. Ich öffne die zweite Tür. Ein Bett. Hannes. Sein Gesicht – sehr klein in dem dicken Verband, bleich. Seine Nase so spitz ... Hatte er immer eine so spitze Nase? Die Augen hält er geschlossen. Er hat mich nicht kommen hören. Auf Zehenspitzen schleiche ich an sein Bett. Er hat die Arme über die Brust gekreuzt, die Hände wirken papieren, die Adern treten blau hervor. Behutsam lege ich meine Hand auf seine. Ich erschrecke: wie kühl. Da öffnet er die Augen. Einen Augenblick scheint er sich zu besinnen. Dann leuchten seine Augen auf. »Hanna! Daß du gekommen bist!« Er spricht sehr leise.

»Weißt du, ich mußte einfach. Man freut sich doch über Besuch, wenn es einem schlecht geht.«

»Mir geht es gar nicht so schlecht. Die tun hier viel für mich. Nachher kriege ich wieder eine Bluttransfusion.«

»Hast du schon öfter eine gekriegt?«

»Ja. Auch Kampferspritzen. Und hier« – er zieht die Bettdecke zurück – »mein Herz wird eisgekühlt.« Er lächelt schwach. »Wär ich nur eher hierher gekommen!«

Er schweigt und blickt mich an. Wie klein sein Gesicht ist. . . die spitze Nase . . . die Augen, wie groß.

»Warum guckst du so?«

»Darf ich dich nicht angucken? Wir haben uns doch so lange nicht gesehn.«

»Ja. Über zehn Wochen, glaub ich. Setz dich zu mir. Du bist mächtig braun.«

»Wir hatten oft Sonne in Deep.«

»Deep? Ach so – du warst ja in Deep. Das hatte ich ganz vergessen.«

Ich rücke einen Stuhl ans Bett, setze mich, nehme seine Linke zwischen meine beiden Hände. Wie kühl. Ich sage: »Wenn du wieder gesund bist, kommst du auch nach Deep. Dann wirst du auch so braun. Du bekommst doch bestimmt einen Erholungsurlaub.«

Er lächelt. Kein richtiges Lächeln. Es ist, als glitte ihm der Mund weg. »Deep, ach ja. Aber ich muß in ein Herzsanatorium, sagt der Arzt. Mein Herz ist so angegriffen.«

Seine Rechte fingert über die Bettdecke, greift nach meiner Hand, umkrallt mein Gelenk. »Es stand wohl sehr ernst um mich.«

Stand? denke ich . . . stand? . . . Es würgt mir im Hals.

»Wieso?«

»Die sind hier alle so bemüht um mich. Immerzu.«

»Das sind sie bei allen Frischoperierten.«

»Die Operation war ja schon vor vier Tagen. Aber das Herz, weißt du, das Herz . . .«

»Hast du viel Schmerzen?«

»Kaum. Aber ich bin so unruhig, so schrecklich unruhig . . . Hast du Mutter schon besucht?«

»Nein.«

»Geh zu ihr, jetzt gleich. Sie freut sich. Ich will ein bißchen zu schlafen versuchen.«

»Gleich geh ich.«

Er dreht den Kopf zur Seite, schließt die Augen. »Sag

ihr Grüße von mir. Sag ihr, es geht mir schon viel besser.«

Die Worte sind kaum zu verstehen, mehr gehaucht als gesprochen. Seine Lider zucken. Ich taste nach seinem Puls, vorsichtig, damit er es nicht merkt. Der Pulsschlag ist nicht sehr kräftig, aber gleichmäßig. Das beruhigt mich. Ein Mensch mit einem gleichmäßigen Pulsschlag stirbt doch nicht ... kann doch nicht einfach so sterben ...

Eine Hand berührt meine Schulter. Ich fahre zusammen. Es ist Schwester Grete. Sie winkt mich hinaus. Ich gehe. Unter der Tür wende ich mich noch einmal zurück. Hannes schlummert.

»Ihr Bruder bekommt gleich eine Bluttransfusion. Hinterher sollte er etwas schlafen. Kommen Sie in zwei Stunden wieder. Da ist dann auch die Visite vorüber.« Ich nicke nur. Vor Weinen kann ich nichts sagen.

Frau Büchler, die auf mich gewartet hat, faßt mich um die Schulter. »Komm Hanna, wir sollten jetzt zu deiner Mutter gehn. Sie kennt deine Ankunftszeit.«

»Aber nicht so verheult.«

»Das macht nichts. Deine Mutter wird laufend unterrichtet.«

Infektionsstation. Ich stehe auf dem Balkon hinter dem Fenster mit dem runden Sprechloch. Mutter liegt mit noch einer Scharlachpatientin zusammen. Ihr Gesicht ist rot gefleckt. Die Augen verquollen. Vom Weinen? Vom Fieber? Sie winkt mir zu und sagt: »Siehst du, Hanna, nun versage ich.«

»Du hast noch nie versagt, nie. Ich wurde im Februar auch krank.«

Mutters Züge verziehen sich. Ich erschrecke. Ich habe etwas sehr Dummes gesagt. Wie konnte ich nur aussprechen, daß ich kurz vor Vaters Tod krank wurde! Und nun ist Mutter krank und Hannes ...

»Grüße von Hannes. Er sagt, es geht ihm schon besser.«

Mutter schüttelt den Kopf. »Ich weiß Bescheid, Kind. Zwei, drei Tage sind noch ganz kritisch. Telegrafier Oma und Opa. Sie sollen kommen. Sie haben ein Recht darauf, nach allem.«

»Mutter!« Und nun fange ich doch wieder an zu weinen, obgleich ich mir fest vorgenommen hatte, es bei Mutter nicht zu tun.

»Geh wieder zu Hannes, Kind. Und besuch mich zwischendurch.«

»Ich kann jetzt nicht zu ihm, erst in zwei Stunden. Ich geh telegrafieren und zu Büchlers, was essen.«

»Aber ich sehe dich heute noch mal, nicht wahr?« Angst ist in ihrer Stimme. »Ich muß dich öfter sehn, Kind, hörst du?« Ich nicke nur.

Um fünf bin ich wieder bei Hannes. Ich erschrecke furchtbar, als ich sein Zimmer betrete. Schwester Grete und noch eine andere Schwester sind um ihn bemüht. Wie verändert das Gesicht seit heute mittag, noch blasser, die Nase noch spitzer.

Er hat gerade eine Spritze bekommen. Ein Kochsalztropf hängt an seinem Arm. »Das war aber eine Schrecksekunde«, sagt er schwach, »aber jetzt geht es mir besser, jetzt geht es mir gut.«

Schwester Grete winkt mich beiseite und flüstert: »Sein Puls hat eben zum ersten Mal ausgesetzt.«

»Was flüstert ihr da?« fragt Hannes.

Ich darauf: »Schwester Grete wollte nur wissen, wie es Mutter geht. Ihr Fieber ist im Abklingen.«

»Komm zu mir«, sagt Hannes und streckt seine Hand aus. Ich ziehe wieder den Stuhl ans Bett, nehme seine Hand. Sie ist kalt. Nicht mehr kühl. Er schließt die Augen. Sein Atem geht flatternd. »Ich bin so unruhig, so schrecklich unruhig«, flüstert er. Nach einer Weile wird sein Atem gleichmäßiger. Er schlummert. Schwester Grete sagt: »Wir gehn jetzt. Läuten Sie sofort, wenn irgend etwas ist.«

Er schläft. Er liegt völlig reglos. Nur sein Atem fliegt.

Jetzt fingern seine Hände über die Bettdecke. »Da sind Teufeleien im Gang. Heraus mit der SS! Die Sowjets haben was vor. Die Panzer müssen kommen! Schnell, schnell, die Panzer!« Fieberträume. Ich halte seine Hände. Sie zucken. Er öffnet die Augen, sehr weit. Sie sind unheimlich groß. Wie Vaters Augen, damals, in meinem Traum, groß und leuchtend. Er blickt mich an, scheint mich aber nicht zu erkennen. Seine Augen scheinen irgend etwas zu suchen.

»Hannalein!« sagt er plötzlich sehr zärtlich.

Ich schlucke.

Dann: »Schnell, schnell, die Schale!« Er muß brechen. Ich kann die Schale gar nicht so schnell greifen. Ich läute. Schwester Grete kommt, gibt mir Tücher, überzieht das Kopfkissen mit einem frischen Bezug. Geht.

Hannes hat die Augen wieder geschlossen. Seine Hände sind kalt. Sein Atem flattert. Ich taste nach seinem Puls. Sehr schwach. Ich läute. Schwester Grete ist sofort da, läuft fort und kommt mit einer Spritze zurück. Hannes merkt nichts. Er wirft den Kopf hin und her. Dann: »Vater! Vater! Das ist mein Vater! Ich muß ihm helfen, rasch, rasch!« Er bäumt sich auf. Schwester Grete springt herzu, versucht, seine Schultern in die Kissen zu drücken. Ich presse den Arm mit dem Kochsalztropf auf die Decke. Schlaff fällt er ins Kissen zurück. Da weiß ich: Er wird sterben.

Oma und Opa kamen zu spät. Sie waren nur noch bei der Einsargung dabei. Hannes sollte nach Berlin übergeführt, eingeäschert und auf dem Familiengrab in Hamburg bestattet werden.

Ein Tag vor der Trauerfeier. Ich bin allein in der Uhlandstraße. Oma und Opa, die bei mir in Lichtenrade wohnen, haben noch einiges zu erledigen. Es läutet. An der Pforte ein Mann in Arbeitsdienstuniform. »Oberstfeldmeister Triemer«, stellt er sich vor. Ich lasse ihn herein. Er sagt mir ein paar unverbindliche Beileidsworte, murmelt etwas von einem guten Kameraden ... Ich winke ab.

Er darauf: »Ich bin gekommen, um mit Ihnen noch ein paar Fragen zur Trauerfeier für Ihren Bruder zu besprechen.«

»Fragen? Ich weiß nicht, was es da für Fragen gibt.«

»Ihr Bruder ist als Arbeitsmann gestorben, im Ehrendienst am deutschen Volk. Es ist üblich, daß auf dem Sarg eine Fahne liegt.«

»Üblich – bedeutet das: Muß eine Fahne auf dem Sarg liegen oder kann eine Fahne darauf liegen?«

»Die meisten Angehörigen legen Wert darauf.«

»Vielen Dank. Wir legen keinen Wert darauf. Der Sarg wird mit Blumen bedeckt sein.«

Der Oberstfeldmeister schweigt. Dann, nach einem Augenblick: »Ich bin mit einer Abordnung von zehn Mann aus der Abteilung Ihres Bruders nach Berlin gekommen, um an der Feier teilzunehmen. Ich werde kurz sprechen, während die Arbeitsmänner die Ehrenwache am Sarg halten.«

Schweigen.

Er fragt: »Wird eine christliche Trauerfeier abgehalten?«

»Ja.«

»Da wir an einer religiösen Feier nicht teilnehmen dürfen, werde ich am Anfang sprechen und dann mit meinen Männern gehn.«

»Über den Ablauf der Feier kann ich nichts mit Ihnen vereinbaren. Sie sollten sich mit dem Pfarrer in Verbindung setzen.«

»Können Sie ihn nicht über unser Gespräch informieren?«

»Ich könnte es vielleicht, aber ich möchte es nicht. Wir wünschen eine christliche Feier. Sie legen Wert darauf, daß der Ehrendienst meines Bruders am deutschen Volk gewürdigt wird. Wie man diese beiden Wünsche am besten miteinander vereint, soll der Pfarrer entscheiden.«

Ich gebe ihm dessen Adresse. Es ist der Geistliche, der Hannes konfirmiert hat. Der Oberstfeldmeister geht.

Sehr viele Leute sind gekommen, manche, die ich gar nicht kenne. Der Raum im Krematorium ist gedrängt voll. Der Sarg verschwindet unter einem Blütenteppich. Der Oberstfeldmeister hält seine Ansprache, das Lied vom guten Kameraden ertönt. Dann verlassen die Männer mit ihrem Führer den Raum. Der Pfarrer tritt an den Sarg. Noch ehe er zu sprechen anfängt, kommen die zehn Arbeitsmänner zurück. Ohne ihren Führer. Ohne Führer sind sie keine Abordnung mehr, und niemand kann sie hindern, an einer religiösen Feier teilzunehmen.

Der Pfarrer spricht: »Hannes Singelmann – noch fast ein Knabe und doch ein Mann – ist von uns gegangen ...« Ich höre die Stimme, aber ich bin gar nicht da. Ich sehe die Blumen, viele, viele Blumen, hingebreitet über den Sarg, auf dem Boden Kränze und Sträuße. So viele Blumen habe ich noch nie beisammen gesehen. Plötzlich muß ich denken: Wie war das wohl bei Vater? Was haben sie mit Vaters Leib gemacht? Erst jetzt, in dieser Stunde, in der ich von Hannes Abschied nehme, fange ich an, darüber nachzudenken.

Dann war ich wieder in Deep. Wo auch wäre ich besser aufgehoben gewesen in den ersten Wochen nach seinem Tod? Mutter lag noch in Posen. Die Ferien waren erst zur Hälfte vorüber. In Deep waren die Nächte ohne Sirenengeheul und der Tisch reich gedeckt. Ich zwang mich zu essen, denn schlafen konnte ich nur wenig. Wie sollte es nach den Ferien weitergehen? Würden wir es überhaupt aushalten, Mutter und ich, in die Uhlandstraße zurückzukehren? Wie still, wie entsetzlich still das Haus schon nach Vaters Tod gewesen war! Und noch einmal wieder etwas stiller nach der Einberufung von Hannes. Aber da hatten wir noch denken können: bald wird er wieder da sein, wenn auch nicht für lange. Aber wenn der Krieg aus ist, dann wird er immer da sein. Und er wird bei Tisch an Vaters Platz sitzen, wie er das seit Vaters Verhaftung getan hatte.

Wieder einmal lag ich wach. Der Mond schien hell in mein Zimmer. Er war fast rund. Vom Kirchturm hatte es gerade eins geschlagen. Ich lauschte in die Stille. Da – was war das für ein sonderbarer Laut unter meinem Fenster? Wie verhaltenes Schluchzen. Da – wieder. Natürlich – da weinte einer. Ich schlüpfte aus dem Bett, schlich ans Fenster und sah hinaus. Auf der Bank unter dem Nußbaum saß Wassilij. Er hatte den Kopf zurückgelehnt an den Stamm, mit den Händen hielt er die Knie umschlungen.

Ich zog mich an, schlich die Treppe hinunter, ging zu dem Nußbaum und setzte mich einfach auf die Bank. Wassilij war nicht überrascht. Er blickte mich an, nahm meine Hand und sagte: »Wir sind beide traurig. Ich habe Heimweh, und du hast Heimweh.« Schweigend blickten wir in die Nacht. Langsam wanderte der Mond über den Himmel.

Ohne Wassilij wäre ich bestimmt doch bald nach Berlin zurückgefahren. Denn seit Hannes' Tod war auch Deep tot. Nach Vaters und Eriks Tod war ich noch gleichsam mit Hannes neben mir durch die Erinnerungen gegangen, obwohl er nicht bei mir gewesen war, nun aber war ich allein. Nur Wassilij war da. Und Wassilij war Erik, war Hannes. Wir sprachen wenig miteinander. Ein Blick, eine Geste genügten. Abends, wenn die anderen Russen nach Hause gegangen waren, saßen wir öfter unter dem Nußbaum. Nur unsere Hände berührten sich. Einmal erzählte ich ihm von Vater und von den schrecklichen Wochen, in denen wir gewartet hatten. Er hörte schweigend zu. Und ein anderes Mal erzählte ich ihm von Erik und wie ähnlich er ihm sei. »Es ist gut, daß du da bist, Wassilij. Denn sonst wäre ich schon längst wieder in Berlin.«

»Für mich ist es auch gut, Hanna.«

Ein paar Tage später sagte die Bäuerin, und sie war sehr unsicher, als sie das sagte: »Ich muß mit Ihnen reden. Verstehen Sie mich aber bitte nicht falsch. Sie müssen sehr vorsichtig sein, wenn Sie mit Wassilij zusammen sind. Vergessen Sie nicht, daß er Kriegsgefangener ist, Russe. Und mit Kriegsgefangenen dürfen wir nicht zu vertraut umgehn. Das ist gefährlich – für den Gefangenen und auch für Sie.«

Daran hatte ich noch gar nicht gedacht. Sie fuhr fort: »Vor ein paar Wochen gab es im Nachbardorf eine böse Geschichte. Dort ist ein Pole erhängt worden, weil ...«

»Erhängt?« unterbrach ich sie.

»Ja, erhängt. Er und die Frau, auf deren Hof er arbeitete, hatten sich zu gut verstanden. Das ist Rassenschande – verstehen Sie? Und wenn die Frau nicht drei Kinder hätte und den Mann an der Ostfront, dann wäre sie sicher nicht ungeschoren davongekommen. So hat man nur den Polen bestraft.«

Fortan traf ich mich mit Wassilij nicht mehr unter dem Nußbaum. Hinter dem Rübenacker war ein kleines Wäldchen. Brombeergestrüpp, Huflattich und Brennesseln machten es nahezu unzugänglich. Wir bahnten uns einen schmalen Pfad bis zu einer Kiefer, unter der weiches Gras wuchs. Dort saßen wir, wenn uns danach zumute war.

Die Ferien gingen zu Ende. Mutter war inzwischen wieder in Berlin, hatte auch wieder zu arbeiten begonnen. Was aus mir werden sollte, wußten wir nicht. Die Alliierten hatten Ende Juli vier Tage lang bei Tag und bei Nacht Hamburg bombardiert, die Angriffe auf das Ruhrgebiet waren nichts dagegen. Es wurde von zwanzig-, ja sogar dreißigtausend Toten gesprochen. Ganze Stadtteile waren ausradiert worden. Hamburg war ein Trümmermeer. Goebbels hatte angeordnet, alle Berliner zu evakuieren, soweit sie nicht in kriegswichtigem Einsatz standen. Die Schulen Berlins wurden geschlossen und in östliche Gebiete verlegt. Mutter hatte geschrieben: »Auf gar keinen Fall lasse ich Dich nach Pommern, Schlesien oder in andere Ostgebiete verschicken. Du weißt ja, was Vater immer wieder gesagt hat: ›Lieber in Schleswig-Holstein von den Engländern kassieren lassen, als in Deep oder Schlesien von den Russen.‹« Damals, als Vater so sprach, hatten wir das als Schwarzseherei abgetan. Er aber hatte sogar Pläne geschmiedet, uns nach Schleswig-Holstein umzuquartieren, falls der Krieg einmal näherrücken sollte.

Das tat er zwar noch nicht, aber die Russen griffen seit Mitte August heftig an und waren im Vormarsch. Die Frontbegradigungen nahmen kein Ende. Ob es auch noch »Frontbegradigung« wäre, wenn sich unsere Truppen einmal auf deutsches Gebiet zurückziehen müßten?

Und nicht nur die Russen waren im Vormarsch. Nach der Landung auf Sizilien hatten die Alliierten sehr rasch die ganze Insel erobert, unsere Truppen waren aufs Festland zurückgewichen. Italien schien am Ende zu sein. Eine weitere militärische Zusammenarbeit war ungewiß, seit Mussolini zurückgetreten und die faschistische Partei aufgelöst worden war. »Jetzt werden die Italiener unsere Bunker am Brenner besetzen und gegen uns kämpfen«, hatte der Schwager der Bäuerin vor ein paar Tagen beim Abendbrotessen gemeint. Und die Bäuerin hatte erwidert: »Seit Stalingrad immer nur Niederlagen. Und da soll man noch an den Endsieg glauben!«

Wassilij brachte mich zur Bahn. Es war viel Zeit. Marlen und Dolma zottelten dahin. Manchmal sah er mich von der Seite an. »Es ist schlimm, daß du nach Berlin zurückmußt. Es werden noch viele Bomben fallen, bis der Krieg aus ist. Bleib gesund.«

»Das wünsche ich dir auch, Wassilij! Und dann wünsche ich dir, daß du deine Eltern und Joruscha wiedersiehst.«

»Das werde ich bestimmt. Denn wir gewinnen den Krieg.«

»Das glaube ich auch, Wassilij.«

Gut, daß ich mich in Deep doch etwas erholt hatte. Mutter war abends nach der Büroarbeit und der langen Fahrerei völlig fertig. Wenn wir gegessen hatten, sagte sie: »Hanna, ich muß mich erst ein bißchen hinlegen. Aber später helfe ich dir bestimmt noch.« Sie legte sich angezogen auf die Couch im Schlafzimmer, sie wollte nur ein Viertelstündchen schlummern. Meistens schlief sie tief ein. Manchmal weckte ich sie, wenn ich ins Bett ging. »Du mußt dich noch ausziehen.« Häufig ließ ich sie auch einfach liegen, da die Sirenen uns ohnedies wieder aus dem Schlaf rissen. Dann kam die gewohnte Rennerei: Fenster und Türen auf, Wasser in die Badewanne, Koffer in den Keller schleppen und die Taschen mit den Wertsachen, dann das Bettzeug und was an Garderobe nicht in den Koffern verpackt, aber unentbehrlich war. Inzwischen standen auch Betten unten. Wir versuchten weiterzuschlafen. Daraus wurde meistens nichts, denn irgendwo wurde immer geschossen, und irgendwann hörte man immer Flugzeuge brummen. Und kann man schlafen, wenn man auf das Heulen fallender Bomben und die Einschläge wartet? Außerdem waren wir seit dem Mauerdurchbruch ja nicht mehr allein. Fing die Schießerei an, krochen die Nachbarn mit ihren Kindern durch das Loch. Die Jüngste weinte oft. Sie begriff nicht, warum ihre Mutter sie immer so ängstlich in die Arme nahm, sobald es draußen laut wurde.

Nicht nur für Mutter waren die Tage zu anstrengend. Auch für mich. Alle Schulen Großberlins waren evakuiert. Viele Schüler hatten sich aber nicht mitverschicken lassen, doch auch sie mußten zur Schule gehn. Das bedeutete: Schulen außerhalb Großberlins besuchen. Für mich lag Zossen am nächsten. Zossen, das sah so aus: Erst Straßenbahnfahrt, dann umsteigen in die S-Bahn bis Rangsdorf, und dann noch einmal wieder umsteigen in den Vorortzug. Anderthalb Stunden Fahrzeit morgens, anderthalb mittags. Natürlich waren die Schulen in Reichweite Berlins überfüllt, und so hatten wir umschichtig Unterricht. Eine Woche vormittags, eine Woche nachmittags.

Neben der Schule hing fast die ganze Hausarbeit und Einkauferei an mir. Und Einkaufen hieß meistens: anstehen, warten. Gottlob wurde es mit dem BDM-Dienst nicht mehr so genau genommen. Dafür stand nun aber die Kartoffelernte vor der Tür. Mir graute vor dem Feld. Aber ich mußte helfen. Rolands waren auch nur noch zu dritt: Onkel Oskar, Tante Lore und Ursula. Wolfgang war Luftwaffenhelfer geworden, und Lisabeth konnte man höchstens mit einem kleinen Korb zum Sammeln anstellen.

Wir hatten so viel angebaut wie im ersten Jahr. Kartoffeln und Gemüse waren gesuchte Tauschobjekte. Onkel Oskar hatte einige Quellen ausfindig gemacht: Kartoffeln gegen Butter, Bohnenkaffee, Tee und Zigaretten, gegen Strümpfe, Schuhe und Textilien. Wenn man nicht mit Geld bezahlte, gab es noch manches, was sonst nicht mehr zu haben war. Und dafür hätten wir uns nicht schinden sollen? Ja, wir mußten uns mächtig schinden, denn wir waren fünf Leute weniger als im ersten Jahr.

Endlich war das Feld leer. Mit dem Handwagen karrten wir die Kartoffeln zu Rolands. Letztes Jahr hatten sich noch Hannes und Wolfgang davorgespannt. Und von Rolands in die Uhlandstraße hatte Hannes dann das meiste gezogen. Wie stark er gewesen und wie er losgerannt war, als uns der Alarm überrascht hatte! Dieses Jahr transportierte ich die Kartoffeln in kleinen Säcken auf dem Gepäckträger nach Hause. Wir brauchten ja nicht viel, Mutter und ich. Und Oma und Opa nahmen nur alle vierzehn Tage ein Netz voll mit nach Waidmannslust.

Und vor zwei Jahren? War es wirklich erst zwei Jahre her, daß ich die dicke Lotte nach Hause gelenkt hatte, und daß wir ums Kartoffelfeuer getanzt waren, Vater und Tante Lore, Onkel Oskar und Mutter, Hannes und Ursula, Erik und ich? War das nicht überhaupt nur ein sehr schöner Traum?

Alarm. Noch ehe wir alle Fenster offen und die Koffer im Keller haben, fängt unsere 10,5-Flak zu dröhnen an. Flugzeuggebrumm. »Ab, runter!« ruft Mutter. Ich werfe mein zusammengeknotetes Bettzeug über die Schultern. Als ich an unserem Beobachtungsposten vorbeilaufe, durchfährt mich ein Schreck: Rundherum am Himmel haben die Tommys Christbäume gesetzt, die Markierungszeichen für Bombenabwürfe. Ich rase die Treppe runter, durch die Diele und die Kellertreppe hinab. »Alles voller Christbäume!« Die Nachbarn sind schon da. Wir stülpen die Stahlhelme über. Und da geht es auch schon los: in das Dröhnen der Flak hinein Heulen, Krachen, Rumms, Rumms, und noch einmal Rumms. Heulen und wieder Heulen, Krachen, das Haus bebt, Glas klirrt. Heulen – lauter, noch lauter. Solange man sie hört, wird's kein Volltreffer, fährt es mir durch den Kopf. Krachen, Rumms, Heulen, Rumms, näherkommend. Wir werfen uns auf den Boden, pressen uns an die Mauer. Rumms, Rumms. Nachbars Susanne schreit, das Licht erlischt, Taschenlampe an. Der ganze Keller voll Staub, nasses Tuch vor Nase und Mund. Heulen – lauter, lauter. Wird es den Schädel sprengen? Krachen.

Platzt das Trommelfell? Das Haus schwankt, der Kellerboden hebt sich, Klirren, Knirschen, Poltern. Steine und Mörtel prasseln auf uns herunter.

»Raus! Raus!« schreit die Nachbarin und stürzt mit dem Kind auf dem Arm zur Kellertür.

»In den Splittergraben!« ruft ihr Vater und reißt die anderen beiden Kinder mit sich. Als er die Kellertür öffnen will, bricht sie aus den Angeln und fällt ihm entgegen. Hinterher poltern Steine, eine Lawine von Steinen. »Zum Durchbruch!«

Die Panik der Nachbarsfamilie reißt uns mit. Lieber draußen im Splittergraben als verschüttet werden. Die Kellertür drüben geht auf. Brennender Phosphor läuft uns über die Stufen entgegen. Die Bombe liegt quer vor der Treppe. Die Luft dick voll Staub. Das Gartenhaus der Nachbarn brennt. Das Haus dahinter – verschwunden, weg. Niedergebrochene Bäume. Der Splittergraben – weg, nur ein Trichter. Um uns herum Flaksplitter, metallen auf Steinen, in den Bäumen klatschend. Über uns noch immer Christbäume.

»Komm!« schreit Mutter und reißt mich unter die Blautanne. Wir pressen uns auf die Erde. Die Tanne ist riesig, ihre Zweige sind dicht. Flaksplitter bleiben drin hängen. Wenn keine Bomben mehr fallen ... Mutter zieht mich an sich. »Sterben ist nicht schlimm, Hanna. Wir gehören doch zu Vater und Hannes«, sagt sie. Wie ruhig sie das sagt!

Sterben – nicht schlimm? Wenn man gelebt hat – sicher nicht. Aber wenn man noch nicht gelebt hat, noch jung ist und kaum ahnt, was das ist: leben. »Ich will nicht sterben! Noch nicht – nein! Nein, jetzt noch nicht!« schluchze ich und presse mein Gesicht in die Armbeuge.

Wie lange wir unter der Tanne lagen, weiß ich nicht. Die schwere Flak schießt noch eine Weile, aber die Granaten explodieren nicht mehr über uns. Flugzeuggebrumm ist auch nicht mehr zu hören, nur das Prasseln der Flammen im Gartenhaus des Nachbarn.

Wir kriechen unter der Tanne hervor, laufen in Richtung Haus. Das Feuer im Nachbargrundstück hat die Veranda und die angrenzenden Büsche erreicht. Im Vorbeilaufen sehe ich: In den Flammen bewegt sich etwas. Ich klettere über den Zaun, renne zur Veranda. Die Kaninchen des Nachbarn hüpfen auf der brennenden Veranda umher, zwei, drei, vier Kaninchen, und die Flammen breiten sich rasch aus. Niemand ist da. Ich steige in die Regentonne am Haus. Das Wasser reicht mir bis zur Hüfte, es ist kalt. Dann springe ich durch die Flammen, packe zwei Kaninchen im Nacken, zurück, Kaninchen im Garten abgesetzt. Und noch einmal wieder durch die Flammen. Das eine Kaninchen läßt sich sofort greifen, das andere hüpft ängstlich hin und her. Es hat zwei große Brandwunden auf dem Rücken. Schließlich erwische ich es doch. Es wird höchste Zeit. Das Feuer frißt sich rasch vorwärts. Auch diese beiden Kaninchen setze ich einfach im Garten ab. Der Zaun wird wohl dicht sein. Dann zu unserem Haus.

Unser Haus – ist das noch unser Haus? Im Schein der Flammen sehe ich: Die ganze vordere Hälfte ist weggerissen. Hannes' Zimmer, mein Zimmer, unten ein Teil des Wohnzimmers und Vaters Arbeitszimmer – weg. Ein Schuttberg davor. Mein Bett, das an der hinteren Zimmerwand stand, hängt halb in der Luft. In Hannes' Zimmer: nur noch der Kleiderschrank an der Schmalseite.

Mutter lehnt am Stamm unserer alten, riesigen Kiefer, meinem Kletterbaum seit Kindertagen. Wenige Meter über dem Boden ist die Kiefer abgeknickt. Der obere Teil ist über den Zaun gestürzt. Der gesplitterte Stamm ragt in den Nachthimmel. Mutter steht da, starrt schweigend auf die Trümmer. Ihre Hände hat sie gegen den Stamm gepreßt. Nach einer langen Weile sagt sie: »Nun sind wir ganz heimatlos.«

Das war in der Nacht vom 18. zum 19. November 1943.

Rolands halfen beim Aufräumen. Aber es gab nicht mehr viel aufzuräumen. Zwar war Vaters und Mutters Schlafzimmer stehengeblieben, aber die Möbel waren mit Glassplittern gespickt. Aus dem Wohnzimmer retteten wir zwei Sessel und unsere Eckbank, unsere liebe alte Eckbank. Vater hatte sie selbst gezimmert, noch bevor er Mutter geheiratet hatte. Sie hatten damals beide nicht viel Geld. Wie er es fertig gebracht hatte, eine so schöne Eckbank zu bauen, war Hannes und mir immer ein Rätsel geblieben. Wir wenigstens hatten nur erlebt, wie ungeschickt er bei allen handwerklichen Arbeiten gewesen war.

In Vaters Zimmer war nur der Bücherschrank übrig geblieben. Die Wände, an denen die Regale gestanden hatten, waren weg. Aber der Schrank war auch wichtiger als die Regale. In seiner Schublade waren die Fotoalben und von Vaters Papieren, was die Gestapo nicht mitgenommen hatte. Außerdem wertvolle Bücher. Obgleich der Luftdruck die Scheiben eingedrückt hatte, waren sie fast unbeschädigt.

Für zwei Sack Kartoffeln bekamen wir einen Lieferwagen, der zu Rolands transportierte, was uns noch geblieben war. Tante Lore und Onkel Oskar sagten: »Selbstverständlich wohnt ihr bei uns. Die beiden Jungszimmer sind doch frei.« Wir taten es, denn bei Oma und Opa wäre es zu eng geworden. Ich bezog Eriks Zimmer. Durch den Tod von Vater und Hannes war Erik mir gleichsam abhanden gekommen. Aber nun war er mir plötzlich wieder sehr nah. Ich dachte viel an ihn. Aber es war, als wäre er schon zehn Jahre tot. Und dabei waren es doch gerade erst eineinhalb Jahre.

Drei Nächte später gab es den zweiten großen Angriff auf Berlin. Wir hockten im Rolandschen Bunker. Unsere 10,5-Flak, die doch viel dichter bei Rolands stand als bei uns daheim in der Uhlandstraße, hörte man kaum hier unter der Erde. Was draußen geschah, war weit weg, nicht nur durch den gedämpften Lärm. Ich war mit ganz anderem beschäftigt als mit Flak und Bomben. An der Schmalseite des Bunkers war noch immer die Zeichnung von Hannes: drei Sektflaschen und darunter: »Bunkereinweihung 27. 6. 41.« Ich starrte lange auf die Wand. Als ich meine Blicke abwandte, begegnete ich Mutters Augen.

Panik in Berlin: Der dritte Großangriff innerhalb einer Woche. Sollte Berlin ein zweites Hamburg werden? Wer irgend konnte, machte sich davon.

Mutter beriet sich mit Tante Lore und Onkel Oskar. Tante Lore sagte: »Ist es euch denn nicht ganz selbstverständlich, daß ihr bei uns bleibt, auch für längere Zeit? Du siehst doch: Es geht gut. Und wenn der Bunker nicht gerade einen Volltreffer bekommt, seid ihr nirgends so sicher.«

Mutter erwiderte: »Ich bin auch einfach auf das Geld angewiesen. So unsympathisch mir die Büroarbeit ist: Säße ich nicht dort, stünde ich längst irgendwo am Fließband wie Frau Duttke und Frau Wieland. Und wer weiß, was für Arbeitsmöglichkeiten ich in Schleswig-Holstein finde.«

Ja, wir waren nach Schleswig-Holstein eingeladen worden. Der Pfarrer, der bei Vaters Trauerfeier gesprochen hatte und ein alter Freund unserer Familie war, hatte geschrieben: »Was hält Sie noch in Berlin? Irgendeine Verdienstmöglichkeit findet sich auch hier. Unser Pfarrhaus ist groß, drei Räume stehen leer. Die Nächte sind ungestört. Bomben werden bestimmt nicht fallen. Ihre Tochter kann mit dem Bus zur Schule. Die ländliche Stille wird Ihnen guttun.«

Doch Mutter hatte sich nicht von der Uhlandstraße lösen können. Uhlandstraße – das war Vaters Nähe, war Hannes' und meine Kindheit. Hier hatte Mutter ihre Wurzeln. Ich auch.

Auch als wir dann nicht mehr in der Uhlandstraße

wohnen konnten, hatte sie nicht einen Augenblick mit dem Gedanken gespielt, Berlin zu verlassen, obwohl sogar Oma und Opa dazu drängten. Sie sagte: »Die glücklichsten Jahre meines Lebens habe ich hier verbracht. Soll ich denn mein ganzes Leben auslöschen?«

Zwei Nächte später der vierte Großangriff. Das Bürohaus am Potsdamer Platz, wo Mutter arbeitete, total zerstört. Als sie aus der Stadt zurückkam, sagte sie nur: »Herr Dreher hat uns alle beim Arbeitsamt melden müssen. Ich komme wahrscheinlich nach Buckow in die Munitionsfabrik. Jetzt sollten wir uns doch davonmachen.«

Wir machten uns davon, ehe Mutter ihren neuen Arbeitsplatz angewiesen bekam. Mit sieben Koffern, mehreren Taschen und zwei Bettenpaketen reisten wir nach Schleswig-Holstein. Reisten? Konnte man das reisen nennen? Schon auf dem Bahnsteig Geschrei, Gedränge. Kinder, die ihre Mütter verloren, Koffer auf den Schienen. Fünf, sechs, sieben Leute, die sich gleichzeitig durch die Türen quetschten, andere, die durch die Fenster kletterten. Nur ja nicht zurückbleiben, nur ja nicht noch eine Nacht mit Bomben und Flammenstürmen erleben müssen. Als der Zug schon fuhr, sprangen sie noch auf die Trittbretter, und Onkel Oskar schob mein Bettenpaket zum Fenster hinein einer schimpfenden Frau mitten ins Gesicht.

Alles in dem kleinen Dorf an der Ostsee war wie im Frieden. Nur in der Schule merkte ich, daß ich aus einer anderen Welt kam. An meinem ersten Schultag machte der Klassenlehrer die üblichen Eintragungen ins Klassenbuch: Name, Vorname, Geburtsdatum. Dann: »Beruf des Vaters?«

»Oberst der Luftwaffe. Aber mein Vater ist tot.«

Während er schrieb, fragte er: »Gefallen?«

»Nein, aber trotzdem tot.«

Alle Köpfe wandten sich mir zu. Auch der Lehrer blickte auf. Hatte meine Stimme gezittert? War es mir nicht ganz gelungen, meine Erregung zu verbergen?

Alles in dem kleinen Dorf an der Ostsee war wie im Frieden. Nur manchmal, wenn die Amerikaner bei Tage Kiel bombardierten, sahen wir dem Krieg zu. Dann standen wir vor der Tür und blickten in den Himmel. Wie Silberfische zogen die Flugzeuge hoch oben durch das Blau. Weit unter ihnen explodierten die Geschosse der Flak – kleine weiße Wölkchen, die langsam verschwammen.

In einer deutschen Universität wurde ich vor einigen Jahren Zeuge einer Debatte zwischen einem jüngeren liberalen Professor und einem Studenten. Von dem Studenten fiel der Satz: »Was Sie unter Freiheit verstehen, ist ja nur Abwesenheit von Gewalt.« Ich erschrak. Der Professor erwiderte: »Mann – wissen Sie denn überhaupt, was Sie da sagen? Nur Abwesenheit von Gewalt?«

Ich konnte die Szene nicht vergessen. Was sind das für junge Leute, die Abwesenheit von Gewalt so geringschätzen? Damals entstand der Plan, Erlebnisse der eigenen Kindheit niederzuschreiben, einer Kindheit, die unter dem Zeichen von Diktatur und Gewalt ein Ende fand.

Die Handlung der Geschichte ist also nicht erfunden. Außer belanglosen Nebensächlichkeiten hat sich damals alles so zugetragen.

Barbara Gehrts

HJ	**Hitlerjugend**
BDM	**Bund Deutscher Mädchen** Nationalsozialistische Jugendorganisation
NSDAP	**Nationalsozialistische Deutsche Arbeiterpartei**
Pg	**Parteigenosse** Mitglied der NSDAP
NSV	**Nationalsozialistische Volkswohlfahrt** halbstaatliche Wohlfahrtsorganisation
RLM	**Reichsluftfahrtsministerium**
SS	**Schutzstaffel** Nationalsozialistische politische Kerntruppe
NSFK	**Nationalsozialistisches Fliegerkorps**
RAD	**Reichsarbeitsdienst**
VB	**Völkischer Beobachter** Zeitung der NSDAP
DRK	**Deutsches Rotes Kreuz**
Gestapo	**Geheime Staatspolizei**
uk	**unabkömmlich**